執念と欲望と。
或る美術蒐集家の追憶

浦上敏朗

河出書房新社

鳥居清長「当世遊里美人合　蚊帳の内外」大判錦絵

喜多川歌麿「煙草を吸う女」大判錦絵

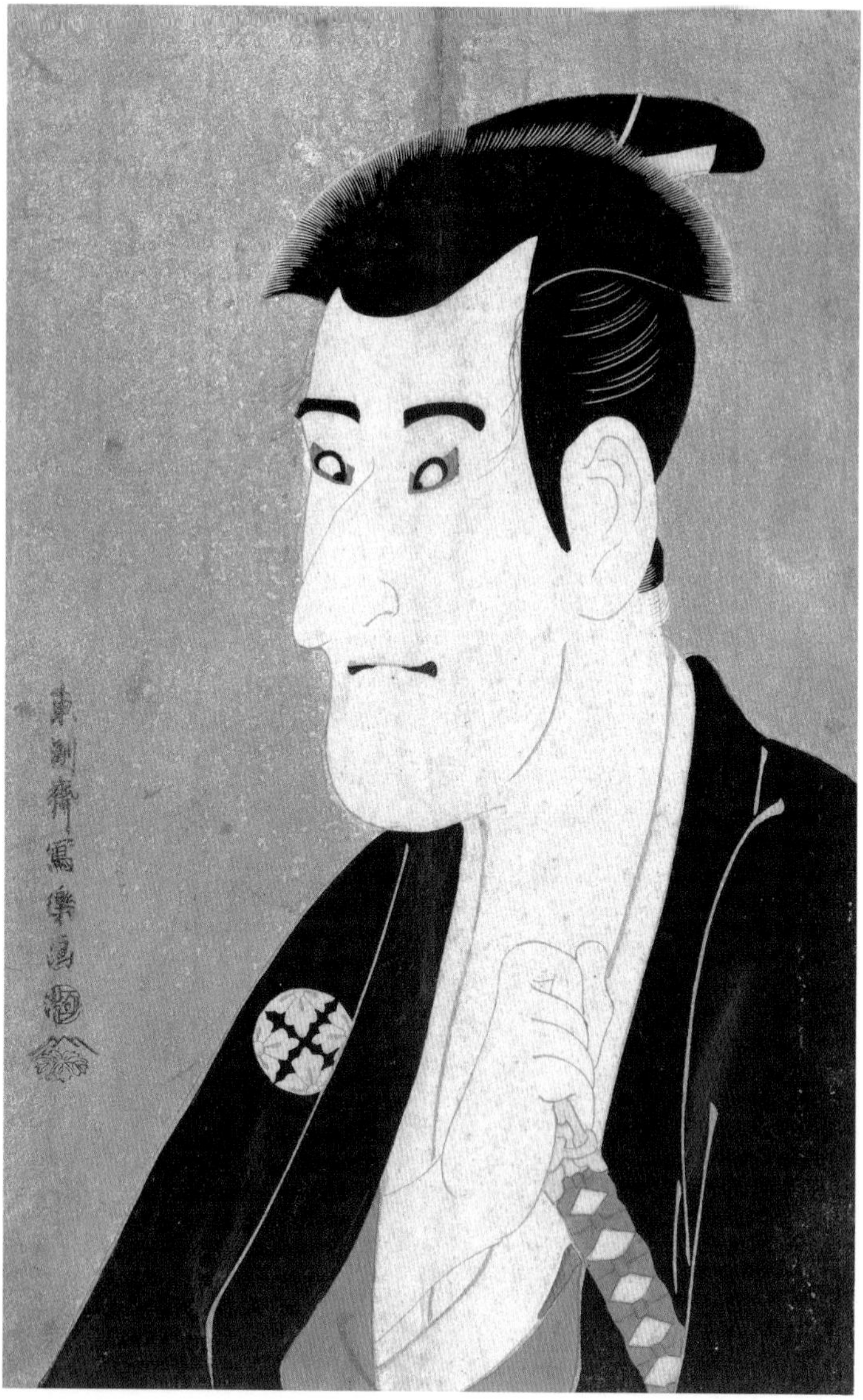

東洲斎写楽「三代目市川高麗蔵の志賀大七」大判錦絵

歌川豊国「初代松本米三郎」大判錦絵

歌川国政「初代岩井粂三郎の禿たより」大判錦絵

葛飾北斎「風流無くてなゝくせ　遠眼鏡」大判錦絵

葛飾北斎「冨嶽三十六景　神奈川沖浪裏」大判錦絵

歌川広重「東海道五拾三次之内　庄野　白雨」保永堂版　大判錦絵

漢　緑釉銀化犬（りょくゆうぎんかいぬ）

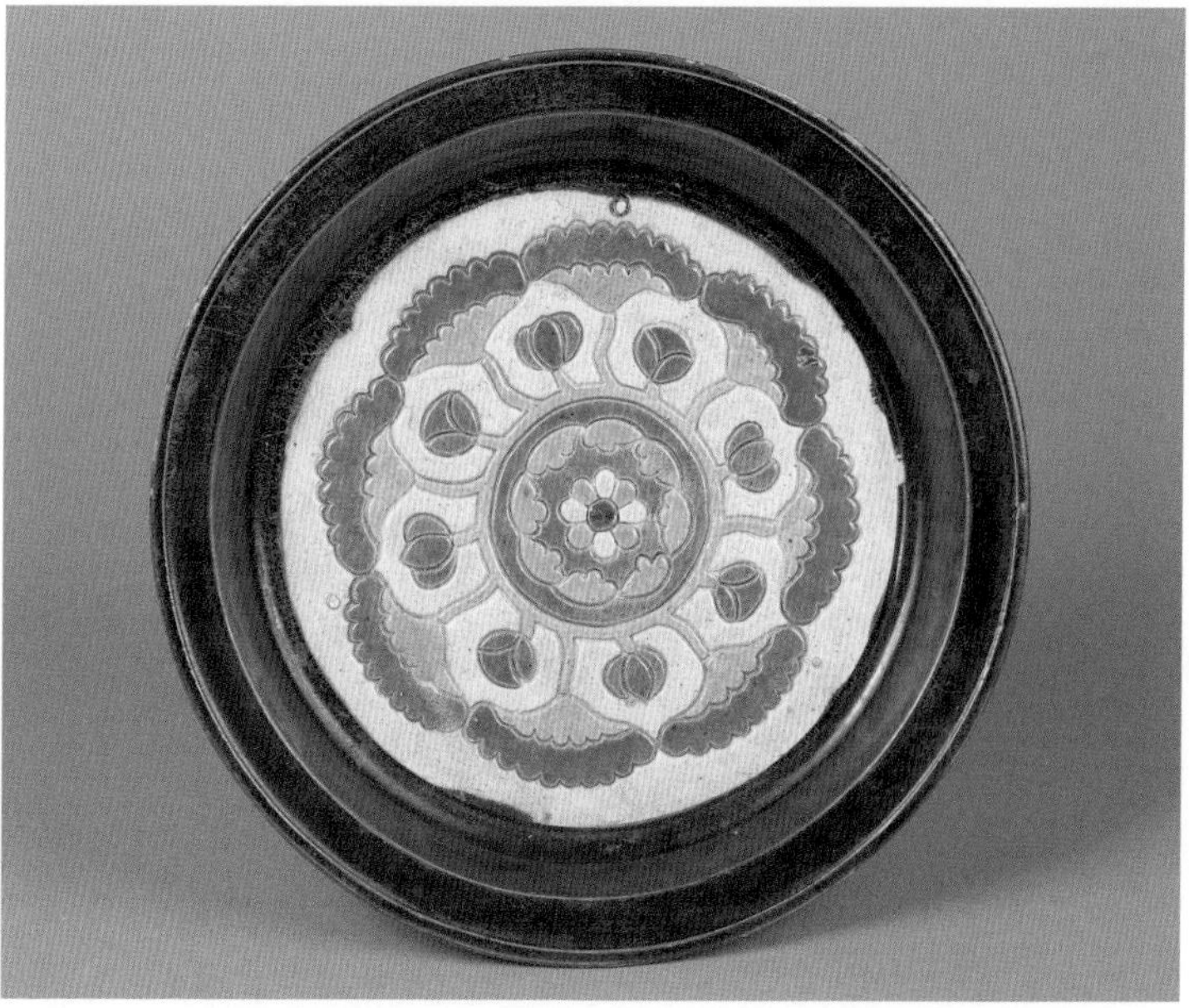

唐　藍三彩宝相華文大盤（らんさんさいほうそうげもんおおばん）

唐　三彩長頸瓶（さんさいちょうけいへい）

唐　藍釉合子
（らんゆうごうす）

五代　白磁蝶文合子
（はくじちょうもんごうす）

北宋　定窯白磁合子
（ていようはくじごうす）

宋　鈞窯紫紅釉盃
（きんようしこうゆうはい）

南宋　砧青磁浮牡丹文瓶（きぬたせいじうきぼたんもんへい）

明　古染付蝦蟇仙人文鉢（こそめつけがませんにんもんはち）

高麗　青磁象嵌菊花文四耳壺（せいじぞうがんきっかもんしじこ）

高麗　青磁象嵌菊花文有蓋小壺
（せいじぞうがんきっかもんゆうがいしょうこ）

高麗　青磁象嵌菊花文薬器
（せいじぞうがんきっかもんやっき）

高麗　青磁象嵌菊花文松葉形合子
（せいじぞうがんきっかもんまつばがたごうす）

高麗　青磁象嵌菊花文有蓋小壺
（せいじぞうがんきっかもんゆうがいしょうこ）

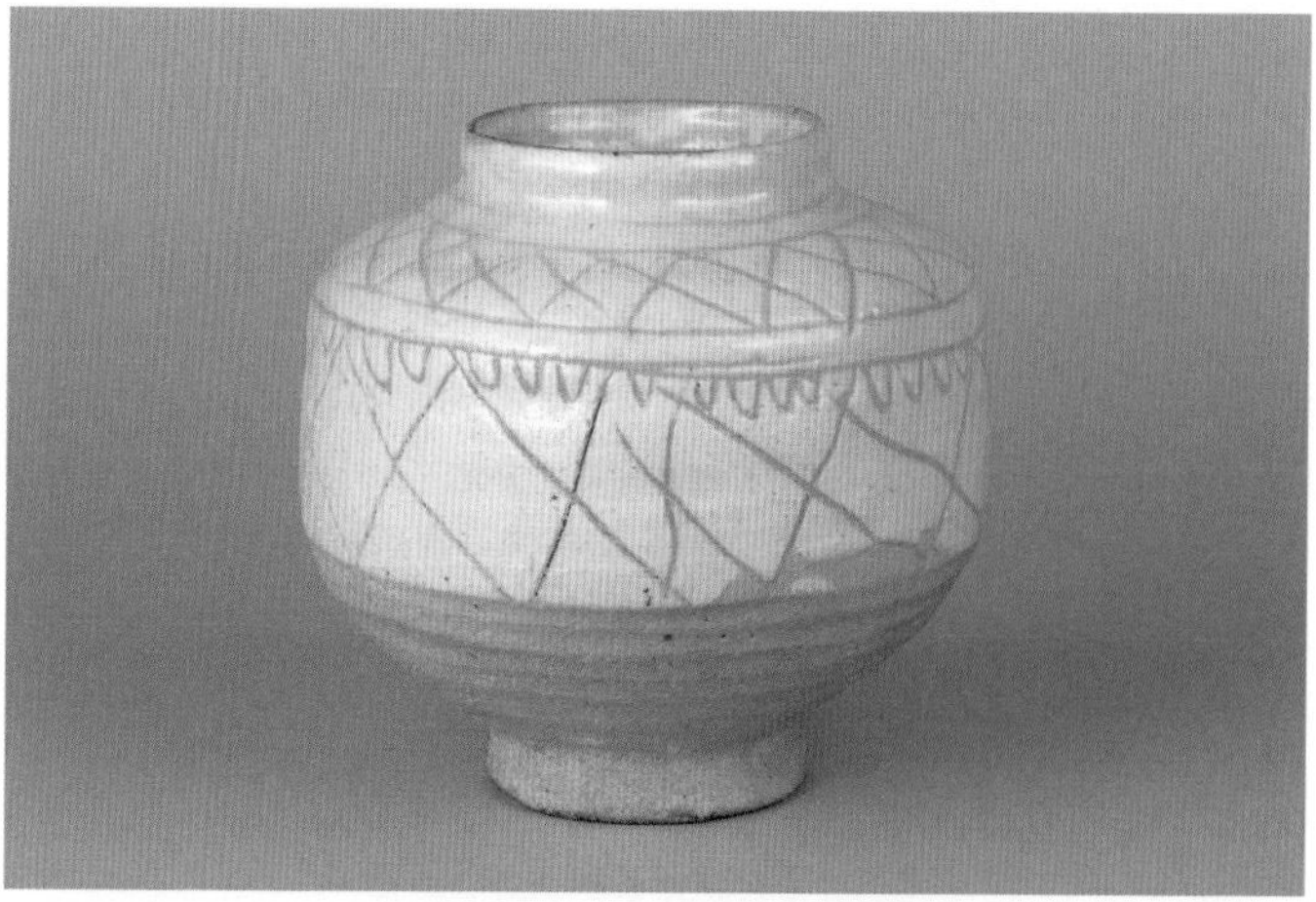

李朝　彫三島（粉青沙器）線刻文壺
（ほりみしま ふんせいさき せんこくもんつぼ）

李朝　染付月宮殿文扁壺
（そめつけげっきゅうでんもんへんこ）

李朝　瑠璃釉陽刻十長生文角瓶（るりゆうようこくじっちょうせいもんかくへい）

李朝　染付騎馬人物文皿（そめつけきばじんぶつもんさら）

カラー口絵／山口県立萩美術館・浦上記念館蔵

復刊によせて

父・敏朗はコロナ禍の令和二年（二〇二〇）八月十五日に九十四年半の人生を閉じました。奇《く》しくもその日は七十五年前の一九四五年、特攻隊で出撃するはずだった日と重なります。終戦で命拾いをして復学、就職、結婚を経て、必死で美術品を蒐集、全コレクションを郷里に寄贈して亡くなりました。

元々、山口県萩市の父の生家に古美術品があったこと、モリブデンの採鉱をする鉱山会社に勤めていた時代に、遠縁にあたるオーナー社長の吉田章義さんが優れた美術品を所有していたこと、そして彼の実妹の画家・三岸節子さんやそのご主人の三岸好太郎さんの絵を見る機会が多くあったことなどが底流にあり、父はいろんな展覧会や画集を見るようになり美術に親しんでいきます。

吉田さんは紡績で財を成し、祇園を一週間総揚げしたという逸話もある人でした。しかも美術が好きで、かなりいい作品を持っていました。しかし、自然災害などが重なり鉱山が駄目になり、社業がだんだん傾いていきます。当時、父はその鉱山会社の専務兼東京支店長をしていましたが、その後、社長になって、事業では相当苦労をしたようです。結局その会社が倒産し、日本ではまだ珍しかった会社更生法が適用されて父は管財人になります。会社を潰した社長が何で管財人になるんだと思いますが。

父が美術品に開眼したきっかけは何だったんでしょうね。ともかく、自分にも美術品が買えるんだと思うようになったのは父が三〇歳を過ぎてからだと思います。

今、思い出しましたが、その前から父には蒐集癖はありました。切手や古銭、北海道の熊の置物などを集めていました。それが本格的な美術品に移ったのかもしれません。本物を見たことによって熱が上がった。ともかく、それで絵を集めはじめていきます。

私の目から見た父は、家長として強い存在でした。

私が物心ついた小学生の頃から美術品を蒐集していましたが、父は毎日のようにいろいろなものを買ってきました。家族みんなで夕飯を食べている時にも、「こんばんは」と言って画商さんや骨董屋さんがひっきりなしにやって来ます。広い家ではなかったので、「また夕飯が中断してしまう」といつも思っていました。

購入した美術品を持ち帰ってくる父の顔にはいいものを買ってきたという喜びがあり、また売り手と真剣勝負をしてきた厳しい表情も滲ませていました。

そして「今回買ったこの品物をどう思うか」と私に見せて意見を聞きます。買った値段も言いました。家族は普通に質素な生活をしていましたから、贅沢はしていません。だから、父から値段を聞かされると、「そんなお金が家のどこにあるんだろう」と子供ながらにいつも不思議でした。「それなら、なんでもっと小遣いをくれないんだろう」とは思いませんでしたが、毎回のように値段を聞かされているうちに私は感覚が麻痺してきて、「そんなお金が」と思うこともなくなっていきました。

父がコレクションを始めた頃は絵が中心でした。家に絵を架けられるスペースは限られていたため、画廊のように床にたくさん置かれていて、家族で「この絵は好きだ」「いい絵だね」など言い合っていました。これは父なりの一種の教育法だったかもしれませんし、「門前の小僧習わぬ経を読む」みたいな考えがあったのかもしれません。

　父の興味はどんどん変わっていきました。初めはビュッフェ、次に日本の名だたる画家たち。美術館はもとより、画商さんも徹底的に回っていました。そして、徐々に古美術品にもとりつかれていくのです。浮世絵に興味が移り、並行して中国や朝鮮、日本のやきものに夢中になりました。

　それから十数年後、大学を卒業した私は大阪で一年間サラリーマンをしたのち、繭山龍泉堂のオーナー繭山順吉さんに声をかけていただき、美術商への転職を決意しました。

　繭山龍泉堂への転職を父に告げた時、父は私に問いました。

「俺は美術品が好きで集めていただけであって、お前が美術商になるとは思わなかった。それで本当にいいのか」

「自分はこれでやっていこうと思う」

　私がきっぱりと言うと、父は面白いことを言ったんです。

「俺はアマチュアで、お前はプロだからな」

　それから五年間、私は繭山龍泉堂でお世話になったあと、独立して日本橋に小さな店「浦上蒼穹堂《そうきゅうどう》」を構えました。昭和五十四年（一九七九）五月、二十八歳の時でした。希望とこれから一人でやっていけるだろうかという不安な気持ちが交錯している中、父が驚きの言葉を吐きました。

「俺に給料を出せ」

その時、父は五〇歳過ぎの働き盛り、バリバリ仕事もしていましたし収入も多かったと思います。それがヨチヨチ歩き始めた息子に「俺は子供に食わせてもらうのが夢だった」と言うのです。そして、付け加えてこうも言いました。

「俺のコレクションはみんなお前にやる。そう考えると随分安い投資だぞ」

私は父に給料を支払うようになりました。

しかし、その約束は平成五年（一九九三）に父が全コレクションを山口県に寄贈を決めた時、反故《ほご》にされました。父からコレクション寄贈の話を相談された時、私は「話が違う」と思いましたが、意地もあってか「親父の好きにすればいい」と言いました。

しかし、そこで話は終わりません。

父は「すべて寄贈してスッカラカンになったので、給料は絶やすな」と追い討ちをかけてきたのです。私はその後も父に給料を払い続けました。

私が父の言うところの美術商としてプロになってからは、当然、美術業界の情報は私の方が持っています。でも、父は私に「教えてくれ」とか、逆に私の方から父に教えを請うこともありありませんでした。美術は、教えられるものではありません。見て、それに対して自分が感じるだけ。だから、ものを買う時に相談ということはお互いにしたことがありません。父は自分の眼に自信があったのでしょうし、私も自分なりに好みと信念があって、自分で判断してきました。父はそういうことはわかっていた人でした。

父のコレクションは浮世絵と陶磁器に大別されます。まず、浮世絵は江戸時代の人々にとって実に楽しみにあふれたものでした。人気俳優や評判の美人、日本各地の風景画などが色鮮やかに表現された浮世絵は今や、日本を代表する美術として世界中で大人気です。父の浮世絵コレクションの特徴は初摺《しょずり》をはじめ、摺りが早く保存状態が優れている作品が多いということです。また、普遍性や資料性にも配慮されていて、美的な鑑賞のみならず、歴史を実感しようとする人々の知的な関心にも応えられるものです。一方、陶磁器は資料的な作品ではなく、キリッとしたものを好む父の感性が前面に出ているように見えます。
「浦上コレクションには国宝も重要文化財もないじゃないか」と言う人もいるでしょう。確かにその通りですが、プロとして客観的に見て、父は眼筋がよかったと思います。父のコレクションに惹かれる方々も、父の眼を評価してくださっています。

大阪市立東洋陶磁美術館名誉館長・伊藤郁太郎先生
〈国宝も重文もない。しかし一点一点がすべてキュートなんです。俗な言い方ですが、小股の切れ上がったというようなコレクションです。一点一点に見どころがある〉
（『陶説』平成二十五年六月号より）

東京国立博物館名誉館員・長谷部楽爾先生
〈浦上コレクションには、豪華絢爛とかいった大仰なものは全くない。どの作品も私たちの身近にある陶磁器に似た、ほどほどの大きさで、むしろ愛らしい小品がまざっている。そしてどれも形が良く、バランスのとれた文様があらわされており、装飾の過剰を感じさせるものは見当たらない。それらは親しみ深い姿で静かに語りかけてくる友達のような感じさえする。
このような一見平凡ともいえる陶磁器が、どうしてこれほど美しく、印象深く感じられるのか。大きな声で訴えかけるより、親しみをもって語る静かな声が、人々の心にしみるのである。多くの人々はそれらの品々から、その声をきき、小品の中にかくされた力強さ、平凡に見えるものにひそむ非凡な美しさを、無理なくたやすく発見できるに違いない。浦上氏の選択はこの点で首尾一貫しており、ほとんど非妥協的である。それは氏のすぐれた見識のあらわれであると私は思う〉

（『山口県立萩美術館・浦上記念館開館記念図録』平成六年十月より）

父は本書の中で、「私のコレクションは死にもの狂いで集めた。コレクターの気持ちというのは、欲しくて欲しくてたまらないという一種の餓鬼道だ」と心情を吐露しています。しかしコレクションを形成していくことは、とても楽しかったに違いありません。何より欲しい美術品を手に入れることは何ものにも代えがたい喜びです。

令和四年（二〇二二）九月から十一月まで山口県立萩美術館・浦上記念館で「蒐集家浦上敏朗の眼　浮世絵・やきもの名品展」が開催されました。父の三回忌に合わせた企画でしたが、大へん好評でした。私も記念講演会で「プロの眼から見た浦上コレクション」という演題でお話をしました。作品の特徴や見どころ、何が優れているかについて語ると来場された方々が熱心に聴いてくださり、手応えを感じました。

「良いものは良い」のですが、自ずと蒐《あつ》める人の個性が出ます。コレクション（蒐集）はクリエイション（創造）なのです。私も本書の頁をめくりながら、父の個性を再発見したいと思います。

令和六年二月　浦上満

執念と欲望と。或る美術蒐集家の追憶

目次

執念と欲望と。
或る美術蒐集家の追憶

第一章

或るコレクターの生活

昭和三十五年（一九六〇）十二月、銀座の兜屋《かぶとや》画廊でビュッフェの15号「麦わら帽をかぶる女」を見た。ベルナール・ビュッフェ。彼は二〇歳でクリティック賞（具象作家に対する批評家選考の賞）を受け、一躍世界の画壇に躍り出た。ピカソ、シャガール等の巨匠に続くホープとしてスターの座を占めた彼は、プロバンスに壮大な城を求め、豪奢な生活をはじめた。一九五八年、三〇歳の時に愛妻アナベルを迎え、パリで回顧展を開いたが、評論家たちの間では賛否両論、激しくその評価が揺れた。この「麦わら帽をかぶる女」はその少し後に、正確にいえば私がこの作品と出会った昭和三十五年に、ビュッフェが描いたアナベルの像である。

一九四八年、彼が賞をもらった頃の絵は、第二次世界大戦終了後の、何か物憂げで、寂しげな、そして神経質な心の動きをとらえていた。切れるような線でその意志の強さをあらわし、我々の心に訴える絵であった。ビュッフェの特徴は何といっても線である。線の本家といえば東洋画である。陰影でものをとらえる光学的な追求から、線でものをとらえる力学的な線の芸術。そして東洋画は余白でものを語る。「麦わら帽をかぶる女」を見た瞬間、まさにこの絵だ、どうしても欲しいと思い、即座に決めた。当時の値段で、一〇〇万円であった。

これは私にとって大変な決断であった。もともと絵が好きで展覧会にはできるだけ出かけることにしていた。ただし絵は見るもので、買うことなど思ってもみなかった。所有するのは別世界の人間位に考えていたからだ。

家に届けられた絵の前で、私は久しく座っていた。はじめて高額の絵を買った興奮と作品の魅力に、しばらくは毎朝の出勤前や、急いで帰宅してから就寝までの間、心を躍らせてこの絵を眺めていた。これが私の絵画収集のはじまりである。

古径縁の思い出

この絵の額縁は、当時、最も上手といわれていた岩松古径《こけい》氏に特注した。古径氏とは旧知の間柄であったので、一〇万円のところを八万円にしてもらった。当時の記録では、日本画の寺

ビュッフェ「麦わら帽をかぶる女」15号

島紫明10号「女」が二万五〇〇〇円、洋画では織田廣喜10号「風景」が五万円の時代である。額縁は絵よりも高価な額縁はもったいない気もしたが、この絵にだけは金をかけたかった。額縁は絵の添えものと思われがちで、事実、絵を売る時は、中身の絵の値段で取引され、額縁は絵の値段のうちには入らない。しかし、聖なる「絵画」と俗なる「日常世界」を仕切る大きな役目を負ったものが額縁である、という説に納得して発注したのである。

古径氏制作の額縁については、また次のような思い出がある。私は当時、モリブデン、タングステンを採鉱・選鉱する会社、清久鉱業の専務取締役をしており、社長の吉田章義さんは画家・三岸節子《みぎしせつこ》さんの実兄であった。その頃三岸さんは、亡夫・三岸好太郎の絵を買い集めていた。ある作品は金で買い、またある作品は三岸さん自身の絵と交換した。そして手持ちの遺作と合わせて、好太郎の生まれ故郷である北海道の札幌にすべてを寄付する計画をたてていた。寄付する作品については、せめて立派な額縁をつけてやりたいという、たとえていえば、娘を嫁に出す親心のようなものである。腕を見込まれて古径氏がその制作にあたった。古径氏にとってもこの機会に古径縁を世に問い、その集大成としたい考えで、材料、デザイン等こりにこった。したがってその一枚の額縁の値段は、当時としては破天荒に高かった。

その費用捻出のため、三岸さんは銀座の兜屋画廊で、好太郎のデッサン、水彩など七、八〇点の展示即売会を開くことにした。それを事前に知った吉田さんは、この展覧会をとりやめさせ、作品全部を引き取った。兜屋画廊には迷惑料という名目で一〇〇万円を渡し、節子さんに今後一切、好太郎の作品は売らぬよう約束をさせた。その代わり額縁代は自分が負担するということになった。こうして毎月末に私のところへ、古径氏ができあがった額縁を見せて集金に来るようになった。そしてこれは、会社が不況になるまで続いた。現在、札幌の北海道立三岸好太郎美術館にある遺作をつつむ額縁は、このようないきさつでできあがった。

昭和三十五年（一九六〇）、銀座日航ホテルの向かいにフジヰ画廊が開廊した。当時、藤井一雄氏と哲夫氏の兄弟二人で主として日本画を取り扱っていた。まだ洋画の部門にはあまり進出していない時であったが、最初に買ったのは中川一政の12号「風景」五十六万円であった。

今後、外国の若手作家では誰が有望だろうかなどと将来についてのビジョンを語り合い、その熱意はこちらの胸にズシンと伝わってくるほどであった。私は躊躇《ちゅうちょ》なく、アンドレ・コタボを推した。国際具象展に出品された厚塗りの、それでいてスマートな彼の画風は、日本の画家とは異なった、やはり本場の持ち味がある。彼の将来の成長を見てみたい気持ちであった。

あれから三〇年以上たって、ビュッフェといいコタボといい、期待したほどの成長がないのはどういうわけであろう。世に抜きん出ることのむずかしさ、やはり巨匠といわれる人は何十万人のうちの限られた人だけなのか。若くして世界画壇の寵児となって、お城の家に住み、美人の妻をめとり、何一つ不自由のなくなったビュッフェは、本来の魂のおののきを失って、強さだけが目立つ絵になってしまった。やはり画家には渇きと飢えが、そして強い心の高ぶりが必要なのであろうか。むろん、まだまだ将来の変化を見守りたいが。

フジヰ画廊のある三階建ての建物は、当時二階を銀橋画廊の藤田さん、三階を現代画廊の洲之内徹さんが使っていた。いつも一、二、三階と順番に昇っては、各階でいろいろな作家や絵について語り合うのが、会社が終わってからの私の日課であった。

絵画収集は道楽ならず

その頃、中川寿泉堂に籍を置いていた広田龍思氏が、本田技研工業の専務であった藤沢武夫さんを私の家に連れてきた。藤沢さんといえば、本田宗一郎氏の片腕として本田技研工業を「世界のホンダ」に育てあげ、「技術の本田、営業の藤沢」とその名コンビぶりをうたわれた人である。藤沢さんは一目でこのビュッフェの「麦わら帽をかぶる女」が気に入って、よければ譲ってほしいと再三の依頼があった。私にとって記念すべき最初に所有した絵であり、手放すことなど考えられなかった。

それからだいぶたった昭和三十七年（一九六二）のある日、家に帰ってみるとビュッフェの絵がなく、藤沢さんの借用書が置いてあった。自分の部屋に掛けて見たいので、しばらく拝借という内容である。しかし、絵はなかなか返ってこない。しびれを切らして催促すると、とにかく何としても譲ってほしいという懇請とともに一四〇万円の小切手が届いた。私は絵というものは道楽ではなく、換金できるものだということをはじめて知った。手放したくないと悩んだが、私がこの絵をはじめて見た時の所有欲を思い、これだけ所望されるのに断わるのは何か悪いような気がして、とうとう小切手を受け取った。

それからは、絵は家具や電気製品などと違って、楽しみつつも換金自由で、選択さえ誤らなければ利殖にもなるという確信を持って、何の不安もなく気に入った絵をどんどん買った。その当時の昭和三十六、七年頃に私の買った作品とその価格の一部を参考までに記してみると、

萬《よろず》 鉄五郎　　8号「風景」（二〇万円）

熊谷守一《もりかず》　4号「ひまわり」（三十六万円）、6号「砂浴」（六〇万円）、サムホール「裸婦」（二十四万円）
山口　薫　8号「海岸裸婦」（十四万円）、10号「鳥」（二十七万円）、15号「親馬と仔馬」（三十七万円）
小絲源太郎　4号「パンジー」（三〇万円）
三岸節子　10号「鳥」（一〇万円）、6号「花」（一〇万円）
麻生三郎　10号「裸婦」（三〇万円）
須田国太郎　6号「鳥」（七十五万円）
児島善三郎　6号「ばら」（四十五万円）
岡鹿之助　10号「村の一遇」（一〇〇万円）
岡田謙三　6号「読書少女」（十三万円）
日本画では、
高山辰雄　10号「雨あがる」（三十五万円）
片岡球子　10号「海」（十一万円）

ロダン作の水彩と筆者（昭和38年）

加山又造　12号「猫」（四十七万円）

などという具合であった。

日本橋画廊推薦の福井良之助のグアッシュ20号「鳥と木の実と蓮」は展覧会で売れず、同画廊の児島社長が家に持ち込んできた。値段は五万円である。版画は、長谷川潔のエッチングが一万五〇〇〇円から二万五〇〇〇円、浜口陽三が三万五〇〇〇円、池田満寿夫が七〇〇〇円、斎藤寿一も同値といったところであった。

昭和三十八年（一九六三）になると、

村上華岳《かがく》　「寒の鳥」（三〇万円）

富岡鉄斎　「秋月賞月」（十五万円）

脇田　和　8号「少年と鳥」（四万五〇〇〇円）、10号「顔と鳥籠」（一〇万円）

池田満寿夫　リトグラフ「動物の婚礼」（一万円）

猪熊弦一郎　20号「サイゴンのテラス」（六万六〇〇〇円）

海老原喜之助　10号「火を運ぶ」（六〇万円）

オーギュスト・ロダン　8号水彩「裸婦」（四十五万円）

アントニー・クラーベ　8号「魚」（六〇万円）
児島善三郎　25号「黄衣の女」（四〇万円）
松本竣介　10号「風景」（十七万円）、3号「四人」（十二万円）
香月泰男　8号「ひらめ」（十四万円）、4号「花」（一〇万円）

鳥海青児の3号「道化の顔」がどうしても欲しく、求龍堂の中村社長が非売品といってがんばるのを兜屋画廊の西川社長より手をまわし、当時としては破格の値段の二十五万円で買った。それを手に入れた時の喜びはたとえようもない。三岸好太郎は市場に出れば必ず買った。30号「サラブレッド」が三十六万円、20号「道化」が四〇万円。グアッシュ、水彩、デッサンは驚くほど安かった。グアッシュ12号「女」が九万円、同じく12号「道化」が五万円という程度で、三岸好太郎だけで点数は数十点に達した。いま流行の山口長男《たけお》は、当時12号「柵形」赤が四万円、6号「方形」は二万五〇〇〇円であった。

この頃は、まだこのような抽象画を買う人はあまりいなかったが、持ち帰って玄関に掛けるとピシャリと収まって大いに満足していた。不忍画廊の荒井社長は、三〇年以上前に私の家に山口長男の絵が掛かっていたことを、いまでも覚えてくれている。山口長男さんは昭和五十八年（一九八三）に亡くなられた。もう十三年もたつ。「流政之彫刻展」に一緒に出かけ、帰りにともにアテネ画廊に立ち寄ったのが最後となった。

中谷泰の春陽会出品作50号「炭坑」が夢土画廊に飾ってあったが、どうしても売れず、画料の五〇万円でよいからと運び込まれた。この絵は当時、嘉門安雄氏が新聞に写真入りで「中谷の『炭坑』はここ数年来ほとんど同じモチーフであるが、それにもかかわらず、またかという感じはない。描きなれた風景を十分に自己の内部に消化して、一種の心象風景にまで深めているので、豊かで新鮮なロマンの香りさえ漂っている。この作品が今年の収穫だと思う」と評価した作品であった。

映画撮影秘話

当時はまだ絵画の市場は一般的なものではなく、もちろんブームなどははじまっていなかった。したがって私のように若い者が、大量に絵をコレクションするのは珍しかったようである。

昭和三十八年（一九六三）はじめ、梅田画廊の土井憲二氏から、ニュース映画の「朝日ニュース」が絵のコレクターの生活を撮影したいといっているので協力してください、という話があった。その日は早朝より、カメラマンなど四、五人を連れて土井氏がやってきた。二階は、夜具が敷きっぱなしだからと断わったにもかかわらず、そういう自然のままが面白いのだといって午後一時すぎまですべての部屋を撮りまくった。どういうわけで絵を集める気になったかとか、作家論とかを土井氏との対話の形で収録した。この映画に写った絵から、前記以外のものを思い出してみると、

鳥海青児　20号「川添の家」(八〇万円)
小絲源太郎　8号「春時雨」(七十五万円)
糸園和三郎　6号「金魚あそび」(十一万円)、6号「鳩」(十三万五〇〇〇円)
三岸節子　12号「アンチーブ海辺の家」(一〇〇万円)
森　芳雄　8号「女」(十五万円)
難波田龍起　6号(二万円)
ジャン・カルズ　25号「プロバンスのボー」(一三〇万円)
ベルナール・ビュッフェ　15号「花」(七〇万円)
アルベルト・ジャコメッティ　エッチング「女」(二万円)

ニュース映画「或るコレクターの生活」の一場面

フェルナン・レジェ　リトグラフ「鍵のある建物」（二万円）
アンドレ・マッソン　リトグラフ「作品」（二万円）
ジョアン・ミロ　リトグラフ「コンポジション」（六万五〇〇〇円）
ジョルジュ・ルオー　リトグラフ「裸婦」（一〇万円）
エル・グレコ　リトグラフ「女」（二万円）
パブロ・ピカソ　リトグラフ「347版画シリーズ」（十五万円）
アントワーヌ・ブールデル　水彩「レダ」（五〇万円）

など一六〇点近くあった。

やがて、上映日の通知があって映画館に出かけたが、半日かかって収録したものが上映時間わずかに三分間であった。その題も「或るコレクターの生活」とあった。

浮世絵蒐集事始め

私が浮世絵に関心を持ち出したのは、昭和三十八年（一九六三）の終わり頃からである。当時、会社の都合で事業場の鉱山のある島根県の方へ長期出張が多くなり、日本画や洋画の世界から遠ざかった。県庁や銀行の用事で松江に出かけた際、決まって古美術の店に立ち寄った。その店先に三代豊国の役者を描いた浮世絵を見つけ、値段を聞くと一〇〇〇円という。当時、デパートで複製の浮世絵でさえ八〇〇円で売っているのに、既に一二〇年も昔の、しかもオリジナルがこの値段で買えるのかと不思議な気持ちで喜んで持ち帰ったのが、浮世絵というものを買ったはじまりである。

従来、マッチのラベルに印刷された広重の「東海道五拾三次」や切手の図案、チラシなどのイメージで、浮世絵とは幼稚な、おもちゃのようなものだという先入観しか持ち合わせていなかった。そこへこの三代豊国のごくありふれた、しわのよった一枚の役者絵は、浮世絵に対する私の認識を一変させた。そしてこれを東京の画廊に持ちまわって、どうだいいだろうと、そのよさを無理やり認めさせたものであった。その後、松江に出かけるたびに何枚かを求めては喜んでいた。

ある日、神田神保町の古書店で、このような役者絵が山積みされているのを偶然見かけた。値段は一枚どれでも五〇〇円、大量に買うなら一枚一〇〇円にするという。松江よりずいぶんと安い。このような古いものは田舎にしか残っていないと思っていたが、実は全国各地から集まるので、最も安いのが東京である。

日本に残存しているこの種の浮世絵は一体どの位あるだろうか。一〇万枚位だとしたら一枚一〇〇円で一〇〇〇万円で買い占めることができる。これをアメリカなど外国に輸出する。一枚一〇ドルならアメリカでは安いと思うに違いない。当時一ドルは三六〇円であったので、一枚三六〇〇円位で売れればよい商売になるということも考えて、ずいぶん買ったものだった。

しかしその後、会社の仕事に忙殺されて、そのままになっていたが、久しぶりに神保町に出

三代豊国の役者絵。当時1000円で購入したもの
山口県立萩美術館・浦上記念館蔵

かけてみると、既に一枚一〇〇〇円の値段になっていた。そこで古書店に、手持ちの役者絵を買ってくれないかというと、買わないという。理由は、この種のものは限りなく出てくるので一尺いくらで買い（浮世絵を積んでその高さ一尺分）、その中に二、三枚よいものがあれば、それで元が取れる。残りは売れても売れなくてもよいという気持ちで店頭に出してある。だから金を出しては買わない。十分間に合っていますという返事であった。

昭和三十九年（一九六四）はちょうど東京オリンピックの年である。オリンピック開催を記念した、日本橋白木屋での世界各地の美術館より里帰りした「浮世絵名品展」、そして銀座松坂屋の「平木コレクション浮世絵展」を見た。その選りすぐられた名品を前にして、色彩の鮮やかさ、彫り、摺りの見事さ、それにもまして構図のすばらしさにただただ驚嘆した。

このような保存状態のよいものが、一〇〇～二五〇年経過した今日までよく残っているものだ、同様のものがあれば手に入れたいと所有欲をかきたてられたのが、本格的浮世絵収集のはじめである。その時の私の興奮は、遠くドガ、ゴッホ、ゴーギャン、ロートレック等の印象派の画家たちがはじめて浮世絵に接した時の感動と、あるいは同じであったかもしれない。

回想・清国

平成二年（一九九〇）七月、年号が平成に変わってはじめての横綱旭富士が誕生した。名古屋場所を千秋楽の千代の富士との死闘の末、十四勝一敗で終え、さらにすい臓炎という持病とのつらい闘いにも勝っての横綱昇進である。強さだけでなく苦労を重ねた末の結果だけに、この栄冠はよけいに喜ばしい。そして、この六十三代横綱昇進を伝える使者として伊勢ヶ浜理事（元大関清国）の姿がテレビに写った。

昭和四十六年（一九七一）二月、福富太郎氏が当時の大関清国を連れて来宅した。福富氏が来宅する時は、いつも連れがあった。ある時は徳川さんという老人であり、また講談の神田山《さん》陽《よう》氏であり、そのほかいつも変わった人を連れてくるので、またいつものことだろうと思っていた。ところが今回は、清国が結婚することになったので、私と親交のある中村長芳《ながよし》氏に仲人になってもらい、同時に、清国後援会の会長も引き受けてもらいたいという話であった。

福富氏と清国は、清国が幕下時代からのつきあいで、それまで後援会長として援助をしてきた。しかし大関ともなると、自分のような水商売の者が表面に出るのは清国のためにもよろしくない。しかるべき人を表向きの後援会長とし、実質の金銭は従来通り自分が出すことにして決して金銭上の迷惑はかけない。中村氏に仲人と後援会長を引き受けてくれるよう、私から頼んでもらえないかという話であった。

私は、福富氏は立志伝中の人であり、水商売などと自分を卑下する必要などまったくないと考えた。いままで通り後援会長を続け、結婚式の仲人も自分でやったらよい、それが当然のことだと強くすすめたが、福富氏は世間の口はなかなかそういうことを許さないものなので、清国のためにも中村氏に意を通じてくれるようにと、たっての頼みであった。

岸信介元総理の下で首席秘書官として敏腕をふるっていた中村長芳氏は、当時、プロ野球パ・リーグのロッテ・オリオンズのオーナーをしていた。金を出すことを惜しむ人ではなく、むしろ出しすぎる位の性格であったから、紹介しても恥はかかないだろうと中村氏に引き合わせた。中村氏も快く仲人を引き受け、予想した通り、後援会長として年間なにがしかの援助金を出し続け、化粧まわしを新調して贈ったりした。

清国の結婚式は、ホテル・ニューオータニで中村長芳夫妻の媒酌により、当時の福田赳夫首相も出席して盛大に行なわれた。その時の新郎新婦の嬉しそうな顔。まさに幸福な家庭生活の出発点があった。当日、福富氏の奥さんにはじめて紹介された。週刊誌をにぎわせた評判の奥さんで、噂通りの大変な美人であった。

しかし、人生何が起こるかわからない。昭和六十年（一九八五）八月十二日、あの御巣鷹山の尾根に墜落し、五二〇名もの人が犠牲となった日航機事故の犠牲者の中に、清国の最愛の妻と子供たち全員が含まれていた。

築いてきた家庭が一瞬にして無に帰した。彼のこの十数年間の楽しい家庭生活のすべては、一瞬のうちに消えてしまったのである。

清国の憔悴ぶりはひどく、慰めのどんな言葉も空しかった。それぞれの犠牲者にはみな、それぞれのドラマがあることを、供養を知らせるテレビ報道を見てつくづく感じた。

浮世絵太郎がやってきた

福富太郎氏とはじめて知り合ったのは昭和四十二年（一九六七）頃であった。

ある日、芝の東京美術クラブの近くにある井上という古美術店で、店主から、一見女形のように見える先客の老人を紹介された。佐野兵六というその老人は、いま非常に浮世絵に関心を持っている福富太郎という人を連れて、一度お宅におうかがいしたいといった。そして、数日を経ずして福富氏を連れて来宅した。

福富氏は当時「キャバレー太郎」と呼ばれ、その世界のナンバー・ワンであった。噂に違わず、非常に頭の回転の速い人であった。その日は浮世絵のよもやま話をするうちに、いまの時点では何を買えばよいだろうかという質問があった。私は、縦二枚続きのいわゆる掛物絵が他の版画と比較して割安である、これを集中的に集めてみたら面白かろうと進言した。

私はいままでずいぶんと多くの人々から相談を受けて、アドバイスや自分の考えを述べてきたが、なるほどと感心しても実行する人は稀である。しかし福富氏はその日、私の宅を辞してからただちに、まわれるだけの浮世絵商の店を自慢のキャデラックでまわり、在庫の掛物絵を全部買い占めたという。当時の掛物絵の値段は、特別のものを除き二〇〇〇円から高いもので五〇〇〇円位であった。やはり事業に成功する人は、考えることと実行とが同時進行の形で行なわれるものだと感心した。普通、人の意見や説に感心しても実行することはなかなか困難なものである。よいと思ったらすぐさま実行に移す心構えこそ、人に先んずる要諦であろう。

その日から一週間に一度、福富氏は私宅を訪れては、貪欲に知識を吸収した。自然な形で、

渓斎英泉「手紙を読む美人」大判錦絵掛物絵
山口県立萩美術館・浦上記念館蔵

私のコレクションから、国貞、国芳、英泉、芳年、暁斎《きょうさい》等の末期浮世絵が彼のコレクションに移っていった。彼はまた、河鍋暁斎についての本を出し、続いて写楽の研究に移った。写楽は司馬江漢か栄松斎長喜《えいしょうさいちょうき》ではないかという説を発表して、彼は「浮世絵太郎」と呼ばれるようになった。今日の末期浮世絵の盛況を見るにつけ、彼の先取性は高く評価されてしかるべきである。

その後彼は、コレクションの対象を浮世絵の延長として美人画にしぼった。日本画、洋画を問わず、特に明治、大正のまだ世間の人が相手にしない大作の美人画を買いまくった。やがて浮世絵はもちろん、鏑木清方、向井潤吉のコレクションも有数のものとなっていった。

福富氏は熱心な勉強家で、歴史や文学について、また経営学について個人教授を受けた。一方で、彼は自分の経歴、特にキャバレーのボーイ時代などを必要以上に露呈した。裸の自分を公開して、もはや恐れるものは何もなかった。虚飾や虚栄がないから気が楽であったし、時には創作も交えて、時に痛烈なアイロニーをこめながら自分の恥部を宣伝した。

現在の福富氏のコレクションはすばらしい。これだけのものを今日集めようとすれば、大変な金と労力が必要であろう。歳月は毎日を無駄に過ごさない努力と執念のある人に味方するものである。

岡田三郎助の代表作「あやめの衣」。この絵は、かつて上野松坂屋で開かれた「文化勲章作家展」でも入口を入ってすぐのところに展示してあった。鏑木清方の屏風「妖魚」をはじめとする一連の名画。永洗、恒富、輝方、成園らの大作など、彼のコレクションはいまでは日本の美人画を研究するうえでなくてはならないものとなった。そして今日、コレクションを積極的に公開して立派に社会にも貢献している。

前述の福富氏の買った掛物絵は、現在は特別なものを除き、よいもので一〇〇万円、普通のもので二〇〇万円位となっている（特別なものとは、平成二年〔一九九〇〕六月、日本浮世絵商協同組合が催した大入札会で約二一〇〇万円で落札された広重の掛物絵「甲州猿橋図」など。本書「日本浮世絵商協同組合の設立」の章参照）。

人々はいつも、それは集めた時期がよかったのだとか、そんなに安ければ誰でも買えた、と後になっていう。しかし、福富氏が買ったのは、その時の普通の相場であり、いまでもそういうものは必ずあるはずであり、何を買うかは、その人の見識次第であろう。

コレクター気質

この頃は物事に感動することが少なくなってしまった。何かやろうと思っても、結果が見えているような錯覚にとらわれてしまう。また、時々何もかもが無意味に思えてくる。ゴーギャンの最後の問いかけも「人はどこから来て、何であり、どこへ行くか」という誰でも考えることだった。

先日、二、三歳の女の子が銀座松坂屋の前を母親に連れられて歩いていた。女の子は出店の一つひとつに興味を示し、むさぼるように見入る。母親は邪険に引っ張って急いでいく。それでもなお、食い入るように次々と見つめては引きずられていく。この年頃の子供の好奇心は、見ていてまことに感動的である。何でも吸収したい心を持ち、そしてどんどん成長してゆくのである。

そういえば、その昔私にもそのような気持ちは多分にあった。それはいつ頃までだっただろう。美術品を収集する時には確かにあった。でも「その昔」というほど昔ではない。何かを強く望み、激しく執着することは、やはりみずみずしい活力、生きていく強い欲望がなければできない。また待ち遠しさという感情、期待の嬉しさ、弾む心、些細なことでいえば、写真を撮り、それができあがるまでさえ待ち遠しい。こういう気持ちを絶えず持ち続けることが、年齢に関係なく「青春」というものであろう。年を重ねただけでは人は老いない。理想を失う時に、はじめて老いがくるといわれている。

思えば、松岡美術館の松岡清次郎氏は、九十五歳で亡くなるまで美術品購入のためロンドン、ニューヨークに出かけ、松岡旋風を巻き起こした。奥村土牛画伯も一〇一歳、熊谷守一画伯も九十七歳、そしてさき頃亡くなった中川一政画伯も九十七歳まで絵を描き続け、青春の気持ちを持ち続けた。

正常な頭脳を保ち、秀でた仕事をしながら長生きすることは、それ自体一つの技芸であり、また年相応の努力を重ねたはずであるから尊いのである。

岸信介元総理がかつて、「老人性痴呆症というのは頭の良い悪いとは別の現象のようだ。僕の東大時代の法学部の恩師はきわめて頭脳明晰であったが、晩年ボケてしまわれた。幸い僕はボケない体質のようでありがたい」と雑談中、私に話された。私もボケの体質でないことを願うのみである。

武智《たけち》コレクションと御舟

日本の伝統芸能に独特の光を当て、自らも「武智歌舞伎」を主宰し、中村扇雀、中村富十郎、市川雷蔵らを育てた、特異な演出家であり評論家でもあった武智鉄二氏と、生前ある宴会で隣席に座った。そのご縁で以後何度かお会いし、いろいろと話を聞く機会を得た。

武智氏は速水御舟の大収集家としてつとに有名で、そのコレクションは一〇五点、氏を通過した御舟の作品は三百数十点にものぼり、安宅コレクション（現在、山種美術館所蔵）には代表作「炎舞」を含め四〇点を譲ったそうである。御舟以外の作家のコレクションはと尋ねたが、御舟のイメージが強すぎて収集する気持ちになれなかったと話されていた。

速水御舟は昭和十年（一九三五）、四〇歳という若さで惜しまれつつ世を去ったが、その画業は年を経るに従って高く評価され、斬新な構図、賦彩、そして何よりもその切れ味と高い品格は近代日本画の最高峰である。

ちなみに、昨年開かれたシンワ・アートオークションでは、色紙大の「紅梅」が一億四〇〇〇万円という高値で落札された。この御舟の才能を早くから認め、大量に収集した武智氏もまた、大変な感性の持ち主である。

御舟の作品収集に際してのいろいろな逸話を聞いたが、鯉を描いたあの「春池温」が、関尚美堂の展覧会で売れ残って、武智氏のお父さんのところへ持ち込まれたことがある。画料は五〇〇円であったが、売れ残ったので三五〇円でよいからどうかと勧められたが、損をさせて買うわけにはいかないと断わったのが、いまでも自分にとって残念だったこととか、御舟作品の価格変遷などを記録することも、後世のために必要だからいずれまとめてみたいなどの話を聞かせてもらった。

御舟に次ぐ作家としては奥村土牛をあげられた。土牛は、小林古径から君の絵はうますぎるからへたに描けとまでいわれた人で、いまはうまさを殺した作品を描いているが、やはり日本画の線の美しさを表現する第一人者であるとの意見であった。

奥村土牛は梶田半古《はんこ》塾に入門し、塾頭の小林古径の指導を受けた。「土牛百遍」という言葉があるように、絵を描いてもらうためには百遍通わないとできあがらないというほど、遅筆で有名な作家であった。しかし武智氏のいうように、本当はうますぎる人で、決して遅筆ではなかった。自分の得心のゆくまで筆を入れるためで、精細に土牛の絵を見ると何度も何度も重ね塗りしてあることがよくわかる。

次に新人の中で注目すべき画家を尋ねた。なかなか見つけにくいが、強いてあげれば中島千波であろうといった。その後、私も中島千波の画業を武智氏の鑑識眼と合わせて、興味と期待を込めて見つめている。

収集への執念

初心者にとって、繭山龍泉堂や壺中居《こちゅうきょ》などの大きな店に入るのは相当の勇気がいることだ。何か買うつもりでないと入りづらい。繭山龍泉堂には昭和四十年（一九六五）、浮世絵を見せてほしいという名目で入り、喜多川歌麿の「青楼七小町　扇屋内滝川」と葛飾北斎の「冨嶽三十六景甲州石班澤」を買って縁をつないだ。壺中居の場合は、ウインドーをのぞいている時に、蓑豊氏（現在、シカゴ美術館東洋美術部長）に招き入れられたのが最初である。

その頃、私の興味も浮世絵から古陶磁に移行しつつあった。何か新しいものに興味が移る時は、何ともいえない期待感がつのる。その新鮮さがたまらない。

昭和四十一年（一九六六）、丸ビルの中にあった古美術店で蟹の群れを描いた李朝染付瓶《りちようそめつけびん》を見た。その絵はまるで田能村竹田《たのむらちくでん》か、あるいはその弟子の直入が描いたような筆法で、李朝の文様としては未見のものであった。ハリー・パッカード氏に会った時、この瓶のことを話すと、彼はそれは絶対に有田系の焼物だ、李朝にはそんな蟹を描いたものはないと断言した。

ハリー・パッカード氏は有名な目利きで、陶磁器、浮世絵をはじめ仏像、古画など、その研究と眼識は群を抜いていた。後に、自分のコレクションをメトロポリタン美術館になかば寄贈の形で三〇億円で売却し、話題となった人物である。

私がパッカード氏と知り合ったのは、一九六六年パリのルーブル美術館で、日本経済新聞社主催の「浮世絵展」を開催することになり、その出陳作品の選者にパッカード氏が委嘱され、作品選定のため私の家を訪れて以来である。その時彼は、私のコレクションの中から肉筆浮世絵二幅と浮世絵版画十七点を選んでルーブル美術館に出陳した。

パッカード氏は、私たちにも難解な日本の古い文字もスラスラ読んだし、朝鮮美術に興味を持ちはじめると、言葉がわからないとその国の美術の本質が理解できないとして、ハングル文字の勉強からはじめた。彼のように実践と勉強を並行すればまさに「鬼に金棒」である。彼の美術に対する心構え、そしてほしいと思ったらとことん食い下がる貪欲さには圧倒された。欲するものが手に入らない時は相手に対して敵意すら抱いた。

旧安宅コレクションに納まった李朝飴釉角瓶《りちょうあめゆうかくびん》がまだ同コレクションに入る前、その持ち主の家に行き、粘りに粘ったがとうとうその持ち主は売らなかった。当時で八〇万円という高値をつけたのに売らないのは、持ち主の頭がおかしいと思わないかという話を何度も聞かされた。

また、私の友人である松方亮三氏所有の鼠志野秋草文額皿《ねずみしのあきくさもんがくざら》がどうしても欲しく、だんだんエスカレートして三〇〇万円でどうか、そのうえ、松方氏が蒐めたパッカード氏所蔵の初期伊万里の人物文小皿（陶磁全集二十二『初期伊万里』表紙、平凡社刊）を、鼠志野の皿を売ってくれれば添えてもよいとまでいってさんざん粘った。どうしてもだめだとわかった時、ふと見せた彼の怒りと憎しみの表情をいまでも思い出す。

地獄の中でも一番辛いといわれるのは餓鬼地獄だそうだ。食べても食べても腹がへる。ちょうど、コレクションを集めても集めてもまた欲しくなる状態で、コレクターは多少にかかわら

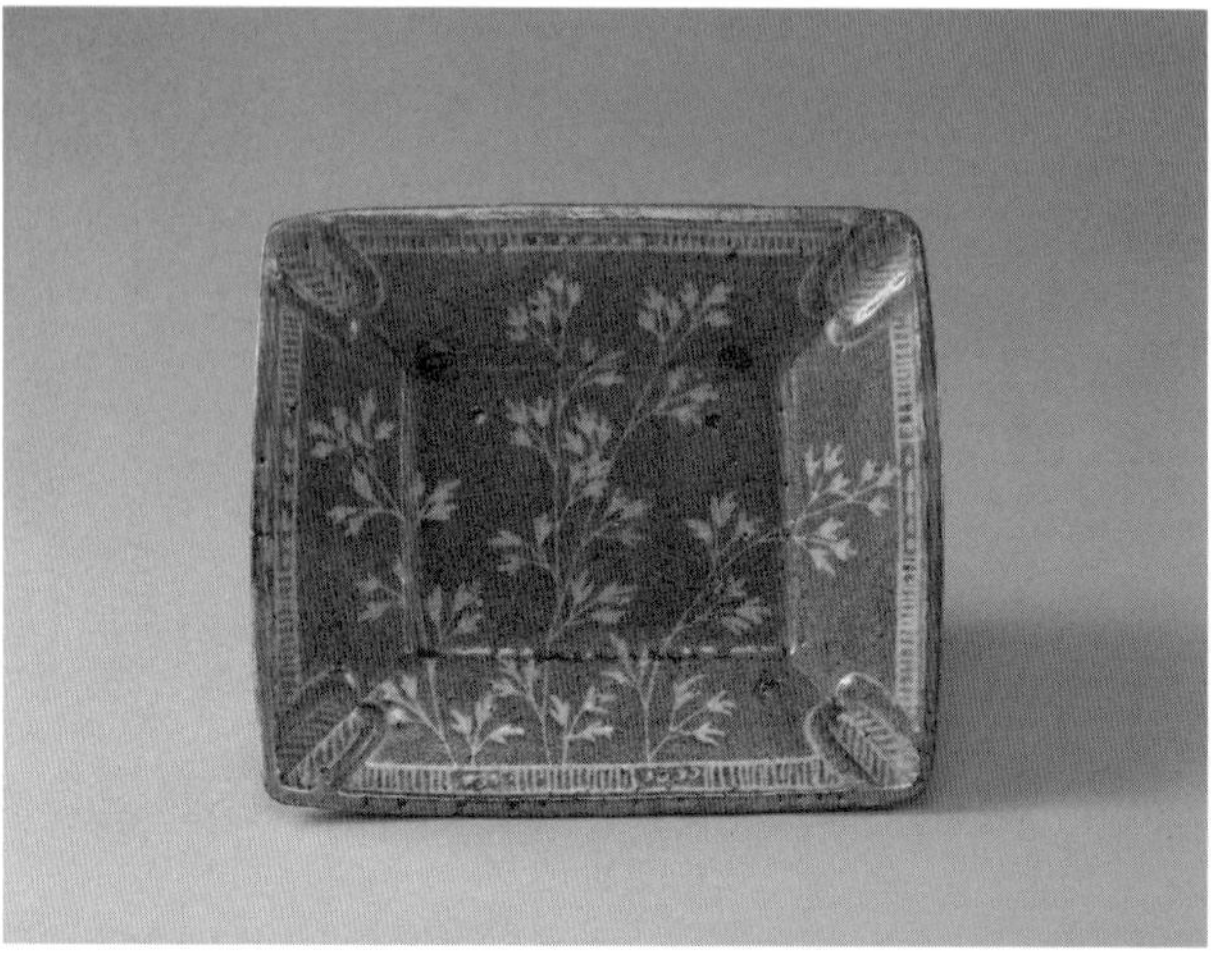

鼠志野秋草文額皿
山口県立萩美術館・浦上記念館蔵

ずこの地獄の道に落ちたということがいえよう。またこのような執念があればこそ、彼のコレクションはメトロポリタン美術館に切望されたのであろう。

一方で親切な一面もあった。李朝の白磁の大壺のどのような色、艶が最もよいできであるかを討論した際に、上等の見本のようなものを見せてあげようと、わざわざ大壺を私宅に持参して見せてくれた。それは玲瓏玉《れいろうぎょく》のごとく、しかも温かさをにじませた、えもいわれぬ味わいであり言葉もなかった。

私もいろいろな人のコレクションを見る機会が重なるにつれ、コレクションもその人の鑑識と理念と、そしていわゆる目筋というものが、おのずからあらわれていることを知った。そうすると収集もまた創造である。これは柳宗悦や芹沢銈介《けいすけ》も昔からいっていることであり、まさに実感である。

シカゴ美術館からの便り

話を李朝蟹の瓶にもどすと、パッカード氏は有田系に違いないといったが、いかに初心者の頃とはいえ伊万里と李朝の区別は見誤るはずがないと、壺中居を訪れた際にこの話をした。蓑

自宅で，李朝白磁壺を前にして筆者と妻

氏は気軽に、私が見てきましょうと出かけていったが、間もなく「李朝に間違いありません。十二万円の定価だが一〇万円にまけてもらった」と電話が入った。やがて持ち帰った現物を店の人たちとともに鑑賞し、珍しいものがあるものだと感心した。私が十二万円を支払うと、とんでもない、一〇万円で結構だと、どうしても受け取らず、好意に甘えて持ち帰った。ところが何ヵ月かたって、蓑氏は「自分の慶應大学時代の恩師が蟹の文様の作品をいろいろ集めていて、この瓶の話をしたらぜひとも欲しいと何度も何度もいわれた。どうか自分に免じて譲ってあげてくれ」といって持ち去っていった。

蓑氏は故小山富士夫氏の知遇を得て、やがてカナダのトロントの美術館のキュレーターとして赴任した。出発に際して、私たち家族一同で送別の宴を開き別れを惜しんだ。彼は毎週手紙をよこし、こちらも家族中で返事して異国の彼を慰めた。そのうち、だんだん音信も途切れがちになり、外地住まいの寂しさも克服したかと安心していたが、昭和五十一年（一九七六）、ハーバード大学大学院に入学し、中国磁州窯の研究で博士号をとり、いまはインディアナポリス美術館の東洋部長をしているとの手紙をもらった。

中国陶磁の世界は、ウィリーが発見したシュメールにはじまるメソポタミア文明のような劇的な発見はないかもしれないが、壺中居で実践的に鍛えたその鑑識眼は、学者として最も強力な武器であり、また私たちにも信頼感を与える。蓑氏はその後、シカゴ美術館の東洋部長になり、米国で最も有名なキュレーターの一人として活躍している。

数年前のニューヨークのオークションで、葛飾北斎の中判錦絵「千絵の海・五島鯨突」が当時としてはびっくりするような高値の一五〇〇万円で落札された。シカゴ美術館が購入したとの話であった。後日蓑氏に会った時、「うちの美術館になくて欲しいと思ったものは、いくら金を出しても手に入れる」と誇らしげに語っていた。シカゴ美術館には現在、浮世絵のコレクションが五万点もある。

生きている浮世絵

コレクションの大小や金額の多少は別にして、私には忘れられない人がいる。日本刺青倶楽部の大和田光明氏である。彼にはじめて会った時、毛糸の帽子を脱いでピョコンと挨拶されてびっくりした。頭のてっぺんに刺青がほどこしてある。大和田氏は身体中、すなわち手首から足首までくまなく見事な刺青がある（背中は不動明王、腹部は野ざらしと昇り龍下り龍）。自らも高名な彫物師としてつとに国の内外に有名で、したがって刺青の図案となる歌川国芳の武者絵の収集も膨大であった。「あった」というのは彼は数年前、病気で急死してしまったからだ。

生前、彼と親しくつき合ったが、コレクションの話になると、

毎日何か一点見つけ出すこと。運悪くその日何も手に入らなければ、道端の石ころでも拾って帰って庭に放っておく。コカ・コーラの瓶を集めて家を建てた人だっていることだし、その人の場合幼い子どもまで真似をして、多い時には二〇本も拾ってきたという。これと同じように、コレクターは毎日の努力の積み重ねで充実したコレクションという「家」ができあがるのである。

と熱弁をふるった。まさにコレクター気質の真骨頂である。

喧嘩と交通事故は刺青をした者にとって大敵だ。刺青に傷がつかぬよう、いつも万全の注意をしている。外国には絶対行かない。外国には刺青収集マニアがいて、自分のような立派な刺青を見ると殺されて、ランプのカサにされてしまうからだ。

ともいっていた。

彼の刺青は現在、東大に保管されていると聞く。

もう一つの創造

平野英夫氏は二十数年来の私の友人である。出会いはある浮世絵商の店頭で、まだどこか幼さを残した顔つきであった。その当時はまだ二十二、三歳であったはずである。浮世絵が好きで、住まいが日本橋である関係上、主として日本橋に関係のある浮世絵を買い集めていると紹介された。

彼に会う二、三日前に、深川の料理仕出店の小学校二年生の坊やが両親に連れられて訪ねてきた。この子はどういうわけか浮世絵が好きで好きで、浮世絵の画集を買ってきては毎日くりかえし読んでいる。どのように対応したらいいでしょうかという相談であった。私は高橋誠一郎先生の例を持ち出し、先生も幼少の頃から小遣い銭をためては夜店で「芳年」を買ったのが、今日のあの立派な浮世絵コレクションのはじめであることを話し、本人の好きな銘柄を自由に買わせ、このせっかくの芽をつまないようにしたらと、二、三の信用できる浮世絵店を紹介したばかりであった。

この坊やといい平野氏といい、このような年頃から何かゾクゾクするような自分の楽しみを持つというのは幸せなことだと思ったのが初対面の記憶である。

平野氏の本業は貴金属デザイナーで、この方面では腕の確かさでつとに定評がある。コツコツと神経のつまる仕事に励み、得た金全部を好きな浮世絵につぎ込む。好きな浮世絵を手に入れるためには一生懸命働かねばならない。だから手に入れた浮世絵は、何とも貴重なものであるはずである。必然的に浮世絵について、さらには江戸時代文化の勉強へと向学心は増していく。このような目的を持った人生は、実にうらやましいものである。

その後、しばらくして萩原司氏を知った。彼は一級建築士で、設計事務所を持つ少壮の建築家である。彼も平野氏に劣らぬ蒐集の心構えを持っていた。私はこの二人に会うたびに、一つのことに打ち込む男の情熱をヒシヒシと感じ、心がなごむのを禁じ得なかった。

昭和五十年（一九七五）五月、鈴木重三先生を自宅にお招きすることになった。私のささやかなコレクションをともに見て楽しむためである。私はこの時、平野、萩原両氏のことを話し、この若い二人を招きたいと申し出た。先生もまた、向学心に燃えた若者に接することに無上の喜びを感じられたようである。当日は私の長男と合わせて五人、昼前から深更に及ぶまで、ま

鈴木重三先生（左）を囲む研究会

ことに充実した長い時間であった。せっかく用意した食事も、何を食べたかみな記憶にない様子であった。

平野氏の蒐集は日本橋と祭礼と火消と三種類に限られてはいたが、どうしてこれだけ新規のものが集まるのか不思議であった。これは執念以外の何ものでもなく、あたかも彼の念力によってものが吸い寄せられるようであった。会合が終わった途端、もう来年の集まりについて期待に胸をふくらませていた。

浮世絵というものはのめり込む性質のものであるから、できれば自分のものにして手元におき、暇をぬすんでたえず鑑賞し愛撫し、その時代の感傷にひたるのが最高である。高橋誠一郎先生も、浮世絵を買わない浮世絵学者の鑑識をあまり高く評価しない旨をしばしば口に出されていた。これがほかの芸術品の鑑賞と浮世絵とでは少々異なるところである。

もちろん世界の名画は到底私どもが所有できるものではないし、浮世絵でも写楽、歌麿、春信等は自分の所有にするのがむずかしい世の中になってしまった。しかし、ありがたいことに浮世絵は、まだ数多くの作家と作品が残されており、そしてどのようなものにも当時の生活が滲み出ている。その気になれば楽に自分のものにすることができるのであって、金がないから持てないといういい訳は浮世絵蒐集については通用しない。

私はいろいろな人のさまざまなコレクションを見る機会が重なるにつれ、コレクションもその人の鑑識眼と理念と、そしていわゆる目筋というものがおのずからあらわれていることを知った。それで、蒐集もまた創造であるということを、ずいぶん前から人に話していたわけである。

昭和五十三年（一九七八）十一月の大原美術館と、昭和五十四年十一月のサントリー美術館において開催された展覧会が「芹沢銈介の蒐集」、そしてサブタイトルに「もう一つの創造」とあり、やはり人間の考えることは同じだと感銘を受けた。後日、柳宗悦の「日本民芸館」という小論文を読んで、やはり柳宗悦も同じ趣旨のことを述べているのを知った。

コツコツと自分の目で確かめ、永年決して売ることもなくたまったこの平野氏のコレクションは、まぎれもなく持ち主の好みと目筋そのものであろう。辛抱強く目的に向かって進めば、一時一時はすぐ消えてはかなくても、その集積は巨岩のごとく迫ってくるのである。

チコチン・コレクション綾模様

　昭和四十七年（一九七二）、藺山龍泉堂の当時の社長・藺山順吉氏より、「チコチンから、自分はもう間もなく八〇歳になるので、手持ちの浮世絵コレクションを手放したい、価格は一五〇〇万スイス・フラン（当時の邦貨換算で一億三〇〇〇万円）を希望するという手紙が届いたが、誰か買う人はいないだろうか」という相談を受けた。

　フェリックス・チコチン氏はユダヤ人で、ディーラーでありコレクターでもあり、イスラエルのハイファーには美術館を持っていた。彼の浮世絵のコレクションは「チコチン・コレクション」として世界的に有名で、すでに何度か来日し、藺山龍泉堂とはたびたび取引のあった人である。

　私は早速、旧知の安宅産業の美術部長であった伊藤郁太郎氏（現在、大阪市立東洋陶磁美術

東洲斎写楽「三代目瀬川菊之丞の田村文蔵妻おしづ」
山口県立萩美術館・浦上記念館所蔵

館館長）に相談をした。当時、安宅産業はわが国五大商社の一つとして盛業中であった。稟議の結果、安宅産業美術部として取り扱うことに決定、私はそのコレクションの鑑定・評価を受け持つこととなり、伊藤氏は買い入れ資金用意のため、一足先に安宅産業ロンドン支社に出発した。

パリからチコチン邸へ

繭山氏は何ごとにつけても一流好みの贅沢な人で、海外旅行でも飛行機はもちろんファーストクラス、ホテルはその地の超一流という信条を崩さない人であった。したがって私も右へならえとなり、繭山氏と二人パリに向け出発した。ちょうどその頃、私の長男がロンドンに遊学中であったので、この取引の様子を見せたくて、パリの空港に出迎えさせ、また伊藤氏ともホテルで合流した。

ホテルはジョルジュ・サンクの特別室、まことに立派な部屋と調度で、窓辺には花が咲き乱れ、白い壁には赤い花、思わず意味違いの「花のパリ」とつぶやくほどであった。

翌朝ギメ美術館を訪れ、そこに並んでいる東洋美術の数々を眺めていると、後ろから声をかけられた。ふり向くとグルーバー氏が立っていた。彼も古陶磁のコレクターで、東京で三日前に会ったばかりであり、世界は狭くなったことを実感した。午後、オルリー空港からエールフランス機でジュネーブに飛び、一泊して翌日の交渉に備えた。

翌朝早く、ジュネーブ駅から汽車でローザンヌを経由し、ヴヴェ駅に降りると、チコチン夫人が赤色のオープンカーで出迎えていて、急坂を登り、先に私たちが宿泊するドゥ・ヒルダホテルに案内してくれた。途中、有名な喜劇俳優、チャーリー・チャップリンの別荘があり、一望すれば、まるで飛行機より下界を見るようで、非常に景色のよいところであった。チコチン邸は玄関の壁に「KINTOKI」（金時）の文字が書かれていた。これは彼の容貌が金時に似ていると思っての自称である。

まず庭でワインで乾杯。彼はその時七十九歳であったが、非常に元気で好々爺に見えた。部屋の入口には「知古珍」（チコチン）と染抜きした暖簾が吊ってあり、部屋には船箪笥、火鉢などいかにも日本趣味の溢れた家の趣であった。

ただちに二〇〇点以上あるという浮世絵を見はじめる。ざっと一覧したが、さすがによい品が多く、ひとまず安心した。午前中二時間半、午後四時間と、またたく間に時間が経過し、終

チコチン邸前で。左より伊藤郁太郎氏，
筆者，チコチン氏，繭山順吉氏

わった時にはさすがに目まいがした。ホテルに帰って計算、集計をしてみると、二枚の不良品を除き一億二〇〇〇万円となった。まったく無作為でちょうどチコチンの申し入れ金額に近かった。ほとんど徹夜で明細書を作成し、これで大役を終え、後はチコチンとの交渉を待つだけである。

藺山氏、伊藤氏と相談して、一応チコチンに対してはオファープライスの一〇パーセント割引き交渉、次は私の評価額、最後はチコチンの希望額一億三〇〇〇万円と三通りの交渉案を用意して、チコチン宅に向かった。しかし、そこでユダヤ商法のすさまじさを見せつけられたのである。

これぞユダヤ商法

まず藺山氏がチコチンに、二日以内に現金払いするから一〇パーセントの値引きをしてくれ、と切り出すと、チコチンはまったく無視し、ほかの話をしばらくしてから、おもむろに、このコレクションをオークションに出したら必ず三八〇万スイス・フランで売れる。しかし、せっかく遠くから来訪したのであるから、特別に二三〇万スイス・フランとし、それ以下では売らないという。

その話のまったくの意外さにみな唖然とした。繭山氏は激怒し、一五〇〇万スイス・フランの売却希望値を書いた往復文書を見せたが、チコチンはまったく動じず、平然たる態度であった。繭山氏はあっさりした性格でもあり、一番先にあきらめかけたが、伊藤氏は高い旅費もかかっていて、会社に対する立場上、大変気の毒であった。

そこでこの取引はやめにして、わざわざチコチンの要望で日本から出かけてきた三人の旅費そのほかの費用を出すようにと繭山氏が交渉すると、チコチンはすぐOKし、いくらかという。二万ドル（当時五〇〇万円）といって飛行機の切符を見せると、それは高すぎる、ファーストクラスに乗る必要はない、ほかの用事のついでにきたのだろうとソッポを向いた。

繭山氏はいよいよ語気鋭く「あなたは、昨日までは日本を愛したよきディーラーであった。日本に対する貢献で、天皇から勲章をもらえたかもしれない。しかし、けさからは違う。信義を守らぬ君を、日本人は相手にしない。汚名のみ残る。ミスター浦上は私の店・龍泉堂の大切なお客で、忙しいのにわざわざ無理して同伴してもらった。伊藤氏も同様である。私も多忙であったが、五日間の予定でわざわざ訪れた。君もディーラーならわかるだろう」と迫力ある独特の英語で詰め寄った。

これに対し、チコチンは、では気に入ったものだけを抜いてくれと値段をいい、これが定価で特別に二〇パーセント値引きをする、と切り出した。参考のため、これを記入してみると私の踏み値の二倍となったが、日本人と外国人の値段のつけ方、そして好みの銘柄の違いは大変参考となった。藺山氏は値段の合うものを一〇点でも買ったらとすすめたが、買えばペナルティもとれないので、チコチンに全部でないと一切駄目だと断わった。もうあきらめてベランダに出て、しばらくモンブランの山々を眺めていたが、その間も藺山氏のチコチンを説得する大きな声が聞こえてきた。

しばらくして藺山氏が「できました！」と叫び、ベランダに来て交渉成立を告げた。結局、書簡通りの一五〇万スイス・フラン、しかし藺山氏はマージンなしという結末であった。経過はというと、チコチンが藺山氏にマージンは何パーセント払えばよいかと聞き、藺山氏がマージンの問題ではない、責任と道義の問題だと答えると、すかさずノーマージンということでチコチンが決定した。チコチンは結局一三〇〇万円高く売り、藺山氏は利益なしということになった。

商談決定後、チコチンはしょんぼりとしてまったく元気がなかった。コレクターの立場からは手放すことに未練があろうが、やはりユダヤ式の見事な商法であり、私たちの計画した提案など吹き飛ばし、自分のいい値通りで商談を成立させた。一方の繭山氏は腹を立て、利益なし。日本人とユダヤ人の相違であろうか。

異国の地で浮世絵と対話する

ロンドンから現金が届くまで中一日あるので、その間近くの美術館や古美術の店をまわることにした。繭山氏は用が終わってすぐジュネーブに発ち、私たちもローザンヌまでタクシーで、そこから汽車でチューリッヒに出かけた。

最初に訪れたリートベルク美術館は、チューリッヒ郊外にあるこぢんまりした閑静な美術館で、はじめに漢、六朝、唐時代の土偶を飾ってある部屋があり、その種類の豊富さと優秀さに感銘を受けた。次はインドのガンダーラ彫刻、その隣にアフリカ原始彫刻の部屋があり、次は浮世絵の部屋であった。

うす暗い光の中、清倍、歌麿、写楽、北斎らがゆったりと間をとって陳列してあった。その

テラスにて。左より筆者，伊藤氏，繭山氏，チコチン氏

時味わった鮮烈な感動は、いまだに忘れることができない。観覧者とて一人もいないうす暗い異国の部屋で、この一連の江戸の芸術群は、懐かしそうに私たちを迎えて話しかけてきた。私たちも万感の思いをこめて対話した。浮世絵とこんな風に、まるで生きている人間のように対話できるとは思ってもみなかった経験である。

スイスでは正午から二時まで店が閉まる。スピンクの店に荷物を預けて、レンプの店に行く。古陶磁はよい品があまりなかったが、浮世絵は相当数あった。店主は日本語は話せなかったが、シュンショウ（春章）、シュンマン（俊満）、シュンチョウ（春潮）などの画家の名前、またカンセイ（寛政）、アンエイ（安永）などの時代名まで日本語で説明した。

やがて、奥より一〇枚ばかりの浮世絵を取り出してきて、「これは、いままでここに来た日本人に聞いても、誰一人正確に答えた人がいない。浮世絵は日本のものなのに、どうして日本人は浮世絵について無知なのか」と不思議そうに話していた。見ると紅摺絵《べにずりえ》の清満や湖龍斎、春章、文調などの保存のよい一級品であった。いくらで売るのか聞くと、はじめて本物と判明したので自分のコレクションにして売らない、しかしせっかく教えてくれたのだから、お礼として店の品をサービスするというので、二〇点ばかりの浮世絵を買って引き上げた。伊藤氏は英語、フランス語に堪能で大いに助かった。

やがて安宅産業ロンドン支社より金が届き、チコチンに支払うのと引き換えに現物を受け取った。チコチンは、このコレクションを私たちに引き渡すにあたって、さめざめと泣いた。やっと最高価格で売れたという満足感と、永年手元において日々愛したコレクションを手放す寂寥感とが入りまじって、複雑な心境であったに違いない。

私は、伊藤氏と二人でロンドンに飛び、安宅産業ロンドン支社に行って浮世絵を金庫に納め、ほっと一安心した。

ロンドン滞在中は美術館と古美術店をまわり、大英博物館ではその収蔵品のあまりの膨大さに、個人がコレクションすることの空しさを知り、ロンドン大学のデヴィッド・ファンデーションでは中国陶磁の精髄を教わった。

ハイドパークの木立の近くにヴィクトリア・アンド・アルバート美術館がある。これはヴィクトリア女王が、早世した夫君のアルバート公を偲《しの》んでふたりの名前を冠せ、V&Aとしてつくった美術館だが、多くの名品にまじって歌川国芳の大コレクションが保存されていた。ケガンポールで浮世絵を買い、サワーズとクラムルの店を訪れた。クラムル氏はまだ若かったが、浮世絵の研究に熱心で、将来の大成を予感させた。後年、私の創設した日本浮世絵商協同組合に二人とも加入するなどということは、当時は想像さえしなかったことである。

オランダではアムステルダムの運河沿いに並んでいるアンティークショップで長崎絵やドーミエのリトグラフなどを大量に購入して帰国した。

里帰りしたコレクション

さて、このチコチン・コレクションは、結局、大昭和製紙の所有するところとなったが、昭和五十三年（一九七八）、朝日新聞社主催で「故郷にもどったチコチン・コレクション」と題して、東京、大阪、静岡で大々的に公開し好評を博した。また昭和五十五年には、同じく朝日新聞社主催で、ギリシャのアテネ近代美術館で浮世絵名品展を開催し、その模様を日本浮世絵協会会長の楢崎宗重博士は次のように述べている。

朝日新聞社主、上野夫妻に同伴、私はギリシャへ初めて渡った。近代美術館に展示し終わったその晩は、文部大臣邸で現大統領、閣僚たちや文化人多数参集、盛大なレセプションが開かれた。翌朝のオープニングには、前大統領がテープカットするという歓迎ぶり。カ

鳥高斎栄昌「お高祖頭巾　牡丹」大判錦絵
山口県立萩美術館・浦上記念館蔵

タログに執筆した私の生涯ただ一度だけの浮世絵の栄えある所遇に、感極まるのであった。さすがに古代の美に生きる民族の、丁重な浮世絵の受け入れだった。芸術をつかさどる女神アテネが、江戸の芸人、美人を温かく迎えられたのであろう。錦絵に映ゆるアクロポリスの栄光を仰いで感無量であった。

一つのコレクションが移動し、次々と拡がりを見せていく。このような効果は唯一、本物の芸術のみに許されることかもしれない。

チコチン氏は、コレクション売却後もまた、いろいろなオークションに出かけ浮世絵を買っていた。そして九年前、九十三歳の天寿を全うして亡くなった。

真贋問答

ある日、Sデパートの美術部長が私を訪ねてきた。五、六年前に開催した浮世絵即売展で、広重の保永堂版「東海道五拾三次」の中の「大磯」を買った地方のお客さんが、その県の文化財保護委員会のメンバーに鑑定してもらったところ、複製であるといわれたので返品したい、そして贋物を売った責任をとってくれ、とクレームをつけられた。それで、ぜひ本物であるという鑑定証明をしていただけないかという申し出であった。

その部長の話によると大変むずかしい客のようである。そこで私の鑑定よりも、オフィシャルにリッカー美術館（当時）の佐藤光信館長に証明してもらった方が先方も納得しやすいだろうと、日時を定めてリッカー美術館まで来てもらった。当日、先方の持参した現物を見てみると、初摺とはいえないまでも、初摺に近い上の部に属する「大磯」であった。

Sデパートは当時これを七〇万円で販売したという。佐藤氏はおもむろにリッカー美術館所蔵の「大磯」の写真を取り出し、虫眼鏡で詳細に見て「間違いありませんね」と答えた。

するとと先方は、第一に県の文化財保護委員会の有名な某氏が完全な複製であると鑑定したこと、第二に自分は紙の研究をしている専門家で、この奉書紙は時代が古くなく、現在のものであること、第三に本物であれば七〇万円ぐらいの安値で購入できるはずのないことなどを理由にあげ、どういう理由で本物と判定できるのかと質問してきた。

「永年くりかえし多量の本物を見ていれば、その修練によって自然に本物と複製の区別がつくものだし、そこに理屈はない。しかも念のため、本物の写真と詳細に見くらべて結論を出した」と佐藤氏は答えた。すると「あなたはその時代に生きていて、作製するところを見たわけではないだろう。したがって想像によって本物といっているのであって、あるいは複製かもしれないではないか」と反論する。

佐藤館長はなお親切にそれぞれの箇所を指摘して、本物と複製の区別を説明し、この品はリッカー美術館所蔵のものと同じ位コンディションのよいものであるといった。先方はしばらく考えて、そんなに自信を持っていうのなら、これとリッカー美術館のものを交換してくれ。同じ程度のものなら交換もできるはずだという。私は、常識のない、乱暴なことをいう人だと呆れた。

しかし佐藤氏は、これは公式な美術館所有のものであって、たとえそちらがよいものであっても、すでに文化庁にも登録してあるし、勝手に交換することはできない規則だと優しく説明したのには感心した。私も、あなたがSデパートに返品するのは、Sデパートとあなたとの商取引のことで、私たちには何の関係もないことだが、返品の理由が「複製だから」というのでは通用しないことだけは注意した。

先方も話の終わり頃から、私たちが好意で鑑定していることと、場所が公的美術館であることとの意味に気がついたらしい。いままでの自分たちの無礼を平謝りにわび、この「大磯」は家の宝として大切に保存しますと恐縮して引きあげた。

目利きは一目で見抜く

とかく、このように美術品の鑑定を依頼する人には、無条件に鑑定者のいうことを信用する型と、この例のように信用しない型との二種類がある。

歌川広重「東海道五拾三次之内　大礒　虎ヶ雨」保永堂版　大判錦絵
山口県立萩美術館・浦上記念館蔵

よく訓練された鑑定家、特に古美術を扱っている人たちは、たとえば古陶磁、書画などその専門の分野については、一目でその真贋を判別する。世間の人は「もう少していねいに見てくれ」と不満を述べる。また「これは、書物によるとすべて理に適っているのに」ともいう。しかし熟達した鑑定家は、その素質と蓄積した経験によって一目でわかるのである。そこには理屈はない。それをとやかくいって信用しないのは、自分の研究の未熟さや独りよがりの信念で、自己の無知と無能をさらけ出していることすら自覚しない者である。

トマス・ホーヴィング著『謎の十字架』という面白い本がある。その中に、美を吸収すればただちに名鑑定家になれると考えるのは早計である。最上の美術品を感じとるためには、神秘的ともいえる天性の直感がなくてはならない。美術館畑や、とくに大学などには美術専門家と称する人種がたくさんいるが、彼らは決して名鑑定家ではなく、将来そうなる見込みもない。あの連中は情報や文献資料を一杯詰めこんでおり、天性の直感とは無縁の単なる専門家にすぎない。私が欲したのはフランス語で言うところのグラン・グー（眼識）つまり高度に洗練された審美感覚だった。私は自分にそれが生来備わっていることを祈った。

と記している。著者はメトロポリタン美術館にいた有名なキュレーターである。専門家の著者が、このようにいわゆる「専門家」を批判しているところは洋の東西を問わず面白い。

贋物は死を知らない

品物を見て真贋を判定すること自体は簡単であるが、人間関係がからんでくると非常にむずかしいものである。贋物と明言して相手のプライドを傷つけることがたびたびあるので、慣れた人はそこの呼吸がとてもじょうずである。どうとでもとれるようなことをいって、大切に保管された方がいいでしょうなどという。人間は欲があるから、いわれた方は自分の都合のよいように解釈して本物と信じ込む。しかしこれでは本当の鑑定にはならない。

私のところにも月に何件かの鑑定依頼があるが、遠慮なくはっきり説明することにしている。癌を本人に告知するのはいろいろと問題があるが、告知してもしなくても、癌は結局は命を奪ってしまうことがある。これが贋物になると、いつまでも生き残って人を悩まし、もろもろの実害をおよぼす場合があるからだ。

さきほどの例では、県の文化財保護委員会の人にも困ったものだ。否定することによって自己を権威づけようとする。これは昔からよくある手法で、贋物だということで、さすが目利きだと人に思わせる。本物を埋没させてしまうのは、贋物を本物とするより罪が深い。

人間誰でもはじめからものを知っているわけではない。人に教えられてしだいに知識を増すのである。自分の知識などまったく微少のものにすぎぬという認識のうえにたって、あらゆる機会を利用し、別の世界を覗き見る努力こそ必要であろう。

アテネ画廊と勉強会

もう二〇年ほど前のことになるが、当時銀座にあったアテネ画廊の社長・野村良平氏は、一般の常識とはかけ離れた風変わりな画商であった。世評に媚びず、美術の本質をつねに見つめていた。毎日が談論風発、画廊はあたかも教養教室であり、特に若い人たちに人気があった。

ある時、野村氏から、日本人が海外に出かけて浮世絵のことを尋ねられても、何も答えられないという醜態を少しでも改善したいので、ぜひ初歩から教えてほしいというたっての要請があり、週に一度ずつ一年近くにわたって、「浮世絵初歩講座」をアテネ画廊アネックスで開講した。受講者は十数人で、ほとんどが画廊関係の人たちであり、いま思えばほほえましい研究

アテネ画廊が開講した“アテネ勉強会”の講義風景

会であった。

これが契機となり、アテネ画廊では何度も浮世絵展が開かれ、野村氏独特の解説は浮世絵界に新風を吹き込んだ。私のすすめで、彼が橋口五葉のデッサン多数を一括購入したのもこの時期である。ただちに彼一流の「五葉論」を展開した。その熱意に圧倒され、リッカー美術館に口利きし、昭和五十一年（一九七六）一月に「橋口五葉展」を開催した。これが現在の五葉ブームの火つけ役となったのである。

次の勉強会は何がよいだろうと二人で話し合ってできたのが「アテネ勉強会」である。画廊の顧客の文化的視野拡大を目指し、手はじめに「陶器教養講座」を開講することとし、私が講師を紹介した。第一回は三上次男先生にお願いし、先生のお人柄もあって大好評であった。第二回は矢部良明氏（東京国立博物館陶磁室室長）、そして伊藤郁太郎氏（大阪市立東洋陶磁美術館館長）、西田宏子氏（根津美術館学芸部長）と次々開き、勉強する画廊として話題を集めた。

いま野村氏は、画廊を閉店して、彼の性格に最も適したS大学の美学の教授として若者相手に熱弁をふるっている。

真贋押し問答

「浮世絵初歩講座」を開講中の、年末も押し迫ったある日、受講者の一人であったK画廊のS君から、愛知県岡崎市に写楽をはじめ浮世絵をたくさん持っている人が処分したいといってい るのでぜひ見てほしい、自分が見た限り絶対本物だからということで、無理やり車に乗せられてその家を訪れた。

持ち主は八〇歳位の老人で、終戦後すぐ、財産税を支払うための処分品であったこの浮世絵を八〇万円で買ったのだという。おもむろに机の上に、一枚ずつもったいぶって並べていく。中には写楽もあり歌麿もあった。一目で複製とわかる。私が何ともいわないので、ゆっくりとしたテンポで、どうだという態度で一枚ずつ並べる。手元には山ほど積まれている。この調子では見終わるまで何時間かかるかわからない。遠路無理やり連れてこられたことと、出されるものがみな複製でがっかりしたこともあって、つい「全部複製ですね」といった。

とたんに老人の顔色が変わった。「なぜ人の持ち物にケチをつけるのか。これは以前、東京の国立博物館の偉い先生に見てもらったところ、みな立派なもので、大切に保管しておきなさいといわれた、まぎれもない本物である。K画廊がしつこく見せてくれというので、特別に見せてやっているのに、ケチをつけられては心外だ」と怒った。私はなぜ複製であるかを丁寧に説明したが、「それは見解の相違で、あなたのような未熟者にはわかるはずがない」と全部しまってしまった。

昭和二十二、三年頃の八〇万円といえば、大変な金額である。それが複製であるといわれれば、ショックで腹も立つことだろうと、同情して引きあげた苦い経験がある。

本物にされた広重

先日、T市の税務署の人が訪ねてきて、喜多川歌麿の肉筆が写っている一枚の写真と古い新聞記事を見せた。紙面一杯に「歌麿の肉筆画新発見」という見出しで写真を大きくのせていた。東京国立博物館の先生や他の高名な評論家の、T市は歌麿とも縁の深い土地で、肉筆が保存されていてもおかしくない、まことに貴重なものであるというようなコメントが書かれていた。

税務署の人がいうには、実はこの絵の所有者が死んでしばらくたつが、まだ遺族から相続の申請が提出されていない。これが真筆であるかどうか、そうであるならば評価価格などを教えてほしいという依頼であった。写真で見る限り駄目なようだったが、現物を見ないと決定的なことはいえないと答えた。

また、その家には安藤広重の「東海道五拾三次」の揃物もあるが、真贋と価格を教えてもらいたいということである。広重の「東海道五拾三次」といっても三〇をこえる種類がある。しかも摺りと保存の状態によって、それぞれ価格が大きく異なるので現物を見なければ返事はできない、現物一枚だけでも持参してもらえればただちに判定できるといった。しかし先方は、まだ調査段階なので、現物を借りることができないといって帰っていった。

後日、その税務署の人が、今度は写真持参で来訪した。写真を見ると、保永堂版「東海道五拾三次」である。ただし、これこそ現物なしでは判断できず、大きさを聞くとちょっと小さい感じである。いまは集英社刊の『東海道五拾三次』という本に原寸大で写真が出ているから、それとくらべて大きさが違えば、それは複製だと教えてあげた。

その後、電話があり、実際に大きさを測ったら縦横それぞれ二センチほど小さかったとの報告があった。そういう複製は市場価値がないので、相続税を徴収するわけにはいかないでしょうと私見を述べた。

後日談として、税務署側がその旨を所有者に話したところ、そこは一応私立美術館となっており、入場料をとって常時陳列している。贋物とわかれば営業をやめなければならない。本物として相続税を払うから、このままにしてくれとの申し入れがあったという報告があった。

贋物を本物として、しかも有料で見せるところもあれば、地方の権威者と称する人が本物を贋物と鑑定する。美術品も各部門で鑑定方法が確立されつつある今日、無責任な判定は避けなければならないのはいうまでもない。

狐狸のかけひき

まだ浮世絵を本格的に蒐集する前、知人に連れられて上野公園の横にあるK氏の宅を訪れた。K氏は当時、わが国における浮世絵研究の一方の旗頭として知られていた。知人が「いまから浮世絵を蒐集されようとしている浦上さんです」と紹介すると、K氏は「あなたのような若い方が浮世絵を集めてくださるということは、わが国の浮世絵界にとって大変ありがたいことです。大体浮世絵は、その本来の価値からみてあまりにも不遇です。一緒にがんばりましょう」と、如才なかった。

K氏は応接間の奥の金庫から、三代豊国の大首役者絵の入っているタトウを持ち出してきた。錦昇堂版厚奉書の彫り、摺りの粋をこらしたその大首役者絵は、一目で私を引きつけた。どれでもいいものをお持ちくださいといわれて迷った私は、はじめてなので先生が初心者に適当なものと思われるものを決めてくださいと頼んだ。はじめてならこれが一番いいでしょうと、「関三十郎の京極内匠」を選び出した。私もこの絵が気に入り、代金三万五〇〇〇円を支払って、礼を述べて辞去した。

後日、尚美社や西楽堂等の店から浮世絵を買うようになって、これと同種の大首絵が七〇〇〇円位で売られているのを知った。さらに、K氏よりわけてもらった版画には、致命的ともいえる中おれがあったのである。中おれがあると価格は通常半値となる。したがって、三、四〇〇〇円のものを一〇倍の三万五〇〇〇円で買ったことになる。K氏は当時より手持ちの品を高値で売り、身をもって浮世絵の不遇を訂正していたわけだ。

大首絵をわけてもらってからかなりたって、たしか昭和三十九年（一九六四）、再び知人より、K氏が北斎の肉筆の名品を入手した。ぜひ浦上さんに持ってもらいたいものであるといわれているので、ということで再びK氏宅を訪れた。「猛虎」の大幅の肉筆であった。知人はもともと表具師であったが、浮世絵、古画に興味を持ち、その売買、鑑定に転向していた。その「猛虎」の絵の表装も彼が古い裂で仕立てた立派なものであった。K氏は「この虎の絵は大変な名品で、いままで発見された北斎の肉筆中、十指に入るものだ」と説明し、「浮世絵を蒐集するなら、ぜひこの位の名品をお持ちなさい」とすすめた。私は五〇万円を払ってこれを購入した。

後日、中川寿泉堂の主人や羽黒洞《はぐろどう》の木村東介氏が、これは北斎の絵ではない、強いていえば長崎派の絵でしょうといって返品をすすめたが、K氏を信頼していた私はそのまま大切にしていた。そのうち浮世絵の勉強をはじめた私は、これがじょうずな絵ではあるが、北斎のものではないことがわかってきた。

ある会合でK氏と同席した時、K氏は私に「あの虎の絵はいまでは五〇〇万円出しても買えない。いい時期にお求めになりましたね」といった。ちょうどいい機会だと思い、「実はあの絵は北斎ではないという疑問が出てきた。そんなに先生がよい絵だといわれるのなら、元値でいいから返品したい」というと、彼は「あんな名品を手放すようでは浮世絵を蒐集する資格はありませんよ」といった。私は「では、先生が箱書きしてください」と頼んだが、「私は八〇歳になるまでは絶対に箱書きしない方針にしています」と引き取りもせず箱書きもしなかった。手元におくことがいやになった私は、寿泉堂に依頼して交換会で処分してもらった。七万円で売れた。それはK氏から買って一〇年目であった。

後日、たしかK氏が亡くなる前の年だったと思うが、銀座のJ版画店で久方ぶりに彼に会った。十何年も会っていないので、彼は別に私を覚えていないようであったし、挨拶も交わさなかった。J版画の主人は浮世絵鑑定家として美術年鑑にのっていた。したがって、全国各地より浮世絵の鑑定と評価、そして買い取りの依頼がたくさん来ていた。品物が来ると、「私のところへよいものが入りましたからお見せしたい」と電話があった。「値段をつけてみてください」というので私が値段をつけると、「先方とよく交渉してみます」といつもいっていたが、私の手元に入ったことは一度もなかった。そのうち、よそでJ版画店から買ったと見せられた版画が、前に私が値づけしたものであったりした。J氏は私に鑑定、評価をさせて下値をたしかめ、これをほかのお客に私より高い値段で売っていたわけだ。そうとわかっていても電話が来ると、ひょっとして入手できるかもしれないという期待を抱いてノコノコ出かけ、そしていつも裏切られた。

ある日、兜屋画廊の小俣氏から「今日の洋画商の交換会で、北斎の版画の幽霊が出てJ版画店が十五万円で落札した」という話を聞いて、出かけてみた。見せてもらうと、北斎の「百物語　お岩さん」の複製であった。この北斎の中判浮世絵版画「百物語」のシリーズは明治年間に非常に巧妙な複製があり、そしてもう一つ北斎の「滝廻り」シリーズも大変むずかしく、昔から要注意作品として評判のものである。プロに対して品物が悪いとはいいづらく、そのまま何もいわずに帰った。

そして次に訪れた時、偶然K氏に会ったのである。例の北斎の「百物語」がK氏の前の机の上においてあった。少しはなれた席で耳に入った話に、先日、私が見た後にK氏がこれをすぐ持ち帰ったらしい。そしてしきりにあやまっていた。「私も年をとって面目ない。てっきりよいものと思っていたのだが、菊地君（当時、東京国立博物館勤務の菊地貞夫氏）も最近大変勉強してきて、『先生これは駄目ですよ』といったのだ。念のため博物館のものとくらべてみて、なるほど悪いとわかった」としきりに返品の弁解をしていたところであった。

K氏が帰った後、J版画店の主人は私に「浦上さん、これを二〇万円にしておきますが、いかがです」と平然とすすめたのには驚いた。この複製の版画も結局どこかのコレクターの手に

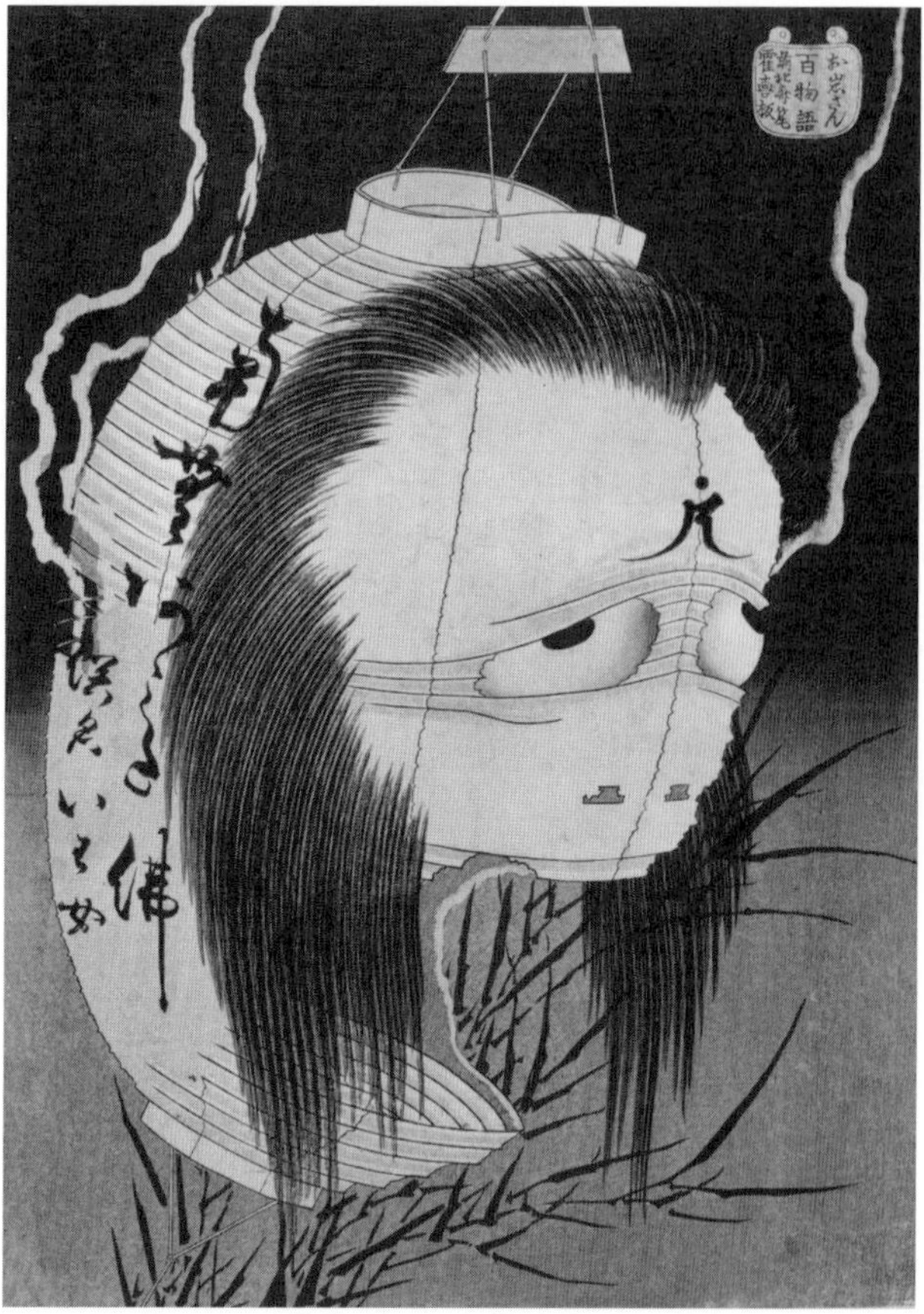

葛飾北斎「百物語　お岩さん」中判錦絵

入るのだろうと想像すると何とも空恐ろしい。肉筆浮世絵の世界はなお恐ろしい。K氏はN先生といつも対立していた。お互い相手を誹謗して、それが作品の鑑定にまで響いた。一方がよいというと、片方は悪いといって、そのやりとりは感情的とさえ思えることもあった。

昭和四十年（一九六五）、中川寿泉堂の主人が家を訪れ、「お客の家から広重の名所江戸百景の揃いが出てきた。江戸屋に見せたところ七〇万円で買うといったが、あなたが浮世絵を集めているので、八〇万円でおわけしましょう」といった。広重の「名所江戸百景」は安政三、四年、広重の最晩年の佳作で表紙共一二〇枚の大揃物である。これは大変な好意である。普通、浮世絵の店で買うと八〇万円では到底手に入らない。うれしさにワクワクして見てみると、どうも複製のようだ。しかしプロ中のプロの江戸屋が買うというのだからと念入りに見たが、どう見ても複製である。そこで中川の主人に「これはよくできた複製だから、いまのうち江戸屋に買ってもらったほうがいいですよ」というと、江戸屋は商売人仲間でも評判の目利きと聞いているのにと、半信半疑で引きあげた。

翌日、中川の主人が再び来宅し、昨夜私の家からの帰りに江戸屋に行き、金でもらうのも気がひけたので、浮世絵版画を何枚か同額ほどわけてもらった、その中で気に入った品があれば買ってくださいと、五、六枚持ってきた。せっかくだから三枚ほどわけてもらったが、後々のキャンセルを考えて金をとらず、品物で決済とは中川の主人も大したものだと感心した。後日、江戸屋が浮世絵の交換会にこの品を出し複製だと指摘されて、年をとると目が悪くなって困ると嘆いていたという話を聞いた。あれほどの目利きも、老齢になるとそのようなことになるとは恐ろしい。

不尽の山・富士山

私たちにとって、富士山とは子どもの頃から聞きなれた有名なものの代名詞のような存在である。私も幼い頃から富士山びいきで、小学生の頃、富士山より高い山が世界中にいくらでもあることを知って大変なショックを受けた記憶がある。

しかし外国でも、日本といえばすぐ富士山といわれる理由は何であろうか。なるほど、新幹線から見える富士山は雄大、華麗である。飛行機の上から見る富士山もまたすばらしい。しかし数多くの写真や絵を見るにつけても、ああ富士山か、という程度の感慨しか湧かなくなってしまった。これもあまりに有名なための馴れなのであろうか。

先日、三島在住の友人夫妻に富士山を見にこないかと誘われた。あいにく前夜からの雨模様で、これでは富士山も見えないといったんあきらめたが、せっかくだからドライブでもしようということになった。途中、霧が立ちこめ、一〇メートル先も見えない状態の中でゆっくり進んでいると、突然霧が晴れ、目の前に巨大な富士山が群青色の山肌を見せて立ちはだかった。それは本当に大きな大きな富士であった。その圧倒的な迫力と美しさに、身体が震えるほどの感動を受け、ただただ夢中で眺めるだけだった。

流れる霧に一瞬遮られ、またあらわれ、時々刻々と変化する富士。群青色と白の、えもいわれぬバランス。感動を言葉であらわすことはむずかしい。あらためて言葉にした場合、非常に空虚なものになり、もどかしさが残る。

しかし昔、人々が富士を神秘な神として崇めたことも容易に理解できた。この経験がなければ、いまでも普段通りの感情でしか富士を見ることができなかったに違いない。何ごとも体験しなければ、その本質を本当に知ることはできない。いままで富士について抱いていたイメージは知識であり、実体験の感動とは別のものであるということがわかった。日本といえば富士山という意味がやっと理解できたのである。その日は最高の幸運の日であったことを感謝しながら山中湖を一周した。

葛飾北斎「冨嶽三十六景　山下白雨」大判錦絵
山口県立萩美術館・浦上記念館蔵

不死身の富士山

富士山は古くは『万葉集』で山部赤人が詠んだ「田児の浦ゆうち出て見れば真白にぞ不尽《ふじ》の高嶺に雪は降りける」という有名な歌があり、『万葉集』の中で富士を詠んだ歌は十二首あるといわれている。

また、九世紀頃に書かれたとされ、日本最古の物語といわれる『竹取物語』の中で、かぐや姫が天に帰った後、天皇は天に一番近い富士山の頂上で、かぐや姫からもらった手紙と、不死の薬を並べて火をつけて燃やした。それによって山の名は「ふじ（不死）」と名づけられ、その煙はいまも絶えないと記述されている。「富士」は「不死」と同音として呼ばれたと解釈できる。

しかし、鎌倉に幕府ができるまでは、実際に自分たちの眼で富士山を見た、当時の文官、文化人はほんのわずかであっただろうし、富士山を実際に見る機会が多くなったのは何といっても江戸時代に入ってからである。

事実、江戸時代に入ると、富士山を描いた名品は、狩野探幽を中心とする狩野派はもちろん

歌川広重「東海道五拾三次之内　原　朝之富士」保永堂版　大判錦絵
山口県立萩美術館・浦上記念館蔵

のこと、俵屋宗達や尾形光琳、また池大雅、与謝蕪村、谷文晁、円山応挙、長沢蘆雪《ろせつ》等々の作品に数多くあるが、中でも葛飾北斎と歌川広重に一番注目しなければならない。北斎は彼の代表作「冨嶽三十六景」表裏四十六枚揃の中に富士を描き、広重は「東海道五拾三次」をはじめ「不二三十六景」「富士三十六景」等に富士の麗姿を描いている。また当時の江戸は空気も澄みきって建物も低く、江戸には富士見という地名がいくつもあって、富士はどこからでも眺められた。広重は江戸市民の生活の一部となっている日常の富士を描いて庶民の共感を得、また北斎は「冨嶽三十六景」を描いて、過去最大の富士山画家となった。

明治以降も富岡鉄斎、横山大観、そして梅原龍三郎らが富士を描くことに心血を注いだが、洋画、日本画を問わず、ほとんどの画家がほかと比較されるのを承知のうえで富士を描くことに挑んでいる。富士山は最も描きやすく、またこれほど描きにくい山はない。画家の芸術度と画技を試される試金石のようでもある。平成二年（一九九〇）、一〇一歳という長寿で逝った奥村土牛画伯も、絶筆はやはり「平成の富士」と題する富士の絵であった。

北斎の「冨嶽三十六景」は前述のように、三十六枚のほかに、俗に「裏富士」と呼ばれる追加出版一〇枚を合わせ四十六枚の大揃物である。三十六枚はタイトルの線描が藍で摺られ、

歌川広重「東都名所　駿河町之図」大判錦絵
山口県立萩美術館・浦上記念館蔵

奥村土牛「平成の富士」1990年

「裏富士」は墨色で摺られていて簡単に識別できる。出版は天保二年（一八三一）にはじまり、天保四年（一八三三）に終わったとされ、北斎一代の名作と世界中で評価されている。

「三十六景」の三十六という数字は「多くの」という意味があるようで、セザンヌの「サント＝ヴィクトワール山」の連作も、またモネが「積みわら」の連作で同じ場所の時刻の変化を追求したのも、この北斎の「富嶽三十六景」の影響があるといわれている。さらに、リヴィエールは、一八八九年パリの万国博覧会を記念して「エッフェル塔三十六景」というそのものズバリのシリーズを描いている。

北斎が「冨嶽三十六景」を描いた当時は、山岳信仰が盛んで、特に江戸市民の富士信仰は天保年間（一八三〇〜四四）にそのピークを示し、富士山への登拝を目的とする富士講がおおいに流行した時であった。この時期、北斎は版元である西村屋与八（永寿堂）の要請を受け、長年たくわえた彼の造形理念を、一挙にこのシリーズに描き出した。叙情性をなるべく断ち切り、あくまでも造形的に描いて、いずれも力作である。単なる風景画というよりも彼の心象風景であり、形はいろいろと変わっても富士は厳然とその存在を主張している。

北斎富士、三者三様

「神奈川沖浪裏」と「山下白雨」そして「凱風快晴」の三点は古くからこのシリーズ中最も優れたもの、すなわち三役として特に高い評価を得てきた。

通称「赤富士」、外国では「Red Fuji」、正確には「凱風快晴」。この図については、季節はいつ、時刻は、場所はといろいろ論議があったが、気象庁などの話によれば、大気の透明度から見て初秋の朝。そして富士山の向こうに巻積雲がはっきりとあらわれ、ずっと遠くに中層雲らしきものも見える。このような雲の動きは天候が悪くなる前兆という。題名の「凱風」とは南風のことで、この南風が強く吹き、巻積雲が出てくると、これは台風の予兆である。台風がおし寄せる前には異常透明の現象があるそうで、この早朝の一瞬を北斎は描いたものと思われる。したがって富士山の東面、海側から見た富士である。

そう思ってよく見ると、富士山の左肩にちょっとコブ状のものがあり、これが宝永四年（一七〇七）に最後の噴火をしてできた宝永山のコブのようにも見える。むだなものは全部省いて、省筆の極致を見せて凜然とそそり立つ富士、このきびしい造形は北斎の全画業を集約したよう

葛飾北斎「冨嶽三十六景　凱風快晴」大判錦絵
山口県立萩美術館・浦上記念館蔵

な会心のできであっただろうし、数多くある富士の絵の中でも最高峰だと思う。

平成二年六月に開催された日本浮世絵商協同組合創立一〇周年記念の浮世絵大入札会で、この絵が六五〇〇万円（実際にはこれに手数料一割がプラスされる。以下同）という高値で落札された。これは過去の浮世絵版画の最高値記録を更新した。いまの日本画や洋画の驚くべき高値に比較すると、まだ安い値段であるにしても、浮世絵版画にとっては記念すべき出来事であった（本書「日本浮世絵商協同組合の設立」の章参照）。従来は、一九八七年サザビーズ・ロンドンで、歌麿の「おひさ」が五四六四万円、八九年クリスティーズ・ニューヨークで、写楽の「坂田半五郎」が六〇九〇万円で落札されたのが過去の記録であった。歌麿、写楽に続いて今回は北斎が二者を抜いて躍り出たのである。

そしてもう一つの通称「黒富士」（「Black Fuji」）、すなわち「山下白雨」は、山側から見た富士ということになる。この絵はピカリと瞬間的に光る稲妻の鋭さをとらえ、木版の彫りの効果を最大限に発揮している。その独特の山容は、山あくまで高きをあらわし、限られた紙面に無限の拡がりを感じさせる。絵は描く人の心の表現であるとすれば、これはどこまでも北斎の主観的な富士であり、その自我が反映されていて、あるいはこれは北斎自身をあらわしているのかもしれない。

『伊勢物語』に曰く「行き行きて駿河の国にいたりぬ。富士の山を見れば五月のつごもりに雪いと白う降れり。時知らぬ山は富士の嶺、いつとても、鹿の子まだらに雪の降るらむ」。

絵を鑑賞する場合、作者の意図とは別の解釈をすることが時々ある。しかしこのように自由に想像させるのが名画であり芸術というものであろう。

通称「大浪」（「Great Wave」）、正式には「神奈川沖浪裏」は横浜の沖から見た富士である。激浪波しぶきはまさに巨大な爪と化して、三艘の舟と水夫めがけてつかみかかるほどである。静と動が荒々しくおそいかかり、その向こうに富士が泰然と静かに波間にあらわれている。静と動の見事な対比。自然の大きさに対する人間の無力さ。そして西洋の遠近法と日本古来の装飾的描写を巧みに構成して、見事に仕上げている。フランスの音楽家ドビュッシーが、この絵よりヒントを得て交響曲「海」を作曲したことはよく知られている。

北斎はその死にあたって「天我をして十年の命を長ふせしめば（しばらく絶句したのち）天我をして五年の命を保たしめば、真正の画工となるを得べし」（飯島虚心著『葛飾北斎伝』）と語ったことを見ても、いかに彼の一生が、そして彼の画業が努力と研究の積み重ねによって達

葛飾北斎「冨嶽三十六景　神奈川沖浪裏」大判錦絵
山口県立萩美術館・浦上記念館蔵

成されたかがわかる。奥村土牛画伯の口ぐせは「芸術に完成はあり得ない。要はどこまで大きく未完成で終わるかである。一日を大切に精進したい」というものであった。

北斎は九〇歳で死んだが、彼の希望する通り、あと五年あるいは一〇年生きても、やはり死ぬ時はあと五年欲しいといったことだろう。

ゴッホ礼讃

　平成二年（一九九〇）の五月、クリスティーズ・ニューヨークでゴッホの「医師ガシェの肖像」が一二五億円という値段で落札された。買主は、当時さる大企業の名誉会長である。その前年、安田海上火災が、同じゴッホの「ひまわり」を五十八億円で購入し、大変な話題となったが、その二倍以上の値段となった。

　同年九月、帝国ホテルで開かれたシンワ・アートオークションで、岡鹿之助の「風景」が二億七五〇〇万円、橋本関雪の「猿猴待月《えんこうたいげつ》」が二億五三〇〇万円、速水御舟の色紙大の「紅梅」が一億四八五〇万円等々、計八十四点が手数料込で約六十一億円という値段で落札されて評判となった。浮世絵版画の値段と比較すると驚くべき高値である。しかし、みなが驚くような高値といっても全部で六十一億円、ゴッホ一点で一二五億円という値段がいかに天文学的な値段であったかをあらためて思い知らされた。当時のバブル経済の異常な金銭感覚は、いまとなってはまったく夢のようである。

日本人のゴッホ好きはいまにはじまったことではない。白樺派はゴッホに傾倒し、「フュウザン会」でも高村光太郎、斎藤与里、萬鉄五郎、岸田劉生等はゴッホを崇拝し、萬鉄五郎は既にゴッホばりの絵を描いていた。

棟方志功は「わだばゴッホになりたい」といって版画制作にはげみ、生前自分の墓もゴッホの墓と同じ形につくり、供花もひまわりを指定した。山下清まで「日本のゴッホ」とサブタイトルがついて、何でもゴッホ、ゴッホである。当時白樺派が美術館をつくる計画をし、いろいろな絵を購入した中にゴッホの「ひまわり」があったが、これは第二次世界大戦の戦災で惜しくも焼失した。当時の金で二万円とかで、ゴッホの「ひまわり」の中では最高のできであったといわれている。

しかし一方で、ゴッホ自身は日本にあこがれ続けた晩年だった。浮世絵を通しての衝撃的な啓示。ゴッホに限らず、マネ、モネ、ドガ、ロートレック等、印象派の画家たちはすべて浮世絵に熱狂した。

いまは亡きフランスの文化相で、高名な美術評論家でもあったアンドレ・マルローが、昭和四十九年（一九七四）に来日した際、対談の中で、

ヨーロッパ人は日本の芸術といえば、まず浮世絵版画を思い浮かべる。北斎、広重、歌麿を知って、後に印象派を形成する画家たちは愕然とした。大事なことは印象派の画家が浮世絵を買ったのではなく、浮世絵を買った画家の間から印象派が生まれたということだ。彼らの受けた衝撃は非常に強烈だったので、ゴッホは「われわれ印象派の画家はすべて日本人に負うている」とまでいっている。彼らが浮世絵から発見したのは、第一に画面構成の自由さ、第二に平塗り色彩の価値、第三に自主性である。

と語っている。

ゴッホは一八八八年の二月下旬、南仏アルルにおもむく。彼の弟テオにあてた手紙には次のようにある。

雪の中で雪のように光った空をバックに、白い山頂をみせた風景は、まるで日本人の画家達が描いた冬景色のようだった。

すぐ後の手紙にも、

ゴッホ「医師ガシェの肖像」

僕は日本にいるような気がする。

……たとえお金が他よりかかっても、南仏に残ろうと思っているわけは、僕は日本の絵を愛しその影響を受けた。又すべての印象派の画家達も影響を受けている。それならどうしても日本へ、つまり日本のような、南仏へ行かないわけにはゆかぬ。芸術の未来は何といっても南仏にある、と僕は思っている。君がしばらくでもここへ来てくれたらその感じがわかるし、見る眼も変わってくる。一層日本人の眼で物が見えるし、色も違って感じられる。だから僕は、ここに長く滞在するだけで、自分の性格が暢《の》びやかになるだろうと確信している。

……日本人が素早く稲妻のように素早く、デッサンするのは、その神経が我々より繊細で、感情が純真であるからだろう。

……日本の芸術家たちがお互い同士実際によく作品交換したことに僕は前々から心を打たれてきた。

これは彼らがお互いに愛し合い、助け合い、彼らの間にはある種の調和が支配していた証拠だ。勿論、彼らはまさしく兄弟同士のような生活の中で暮らしたのであって、陰謀の中で生きたのではない。この点、彼らを見習えば、それだけ我々も立派になる。又日本人達はごく僅かな金しか稼がず、単なる労働者のような生活をしていたようだ。

これらの文章によっても、のちにゴーギャンをアルルに招いた理由がよくわかる。このほか、多くの日本礼讃の手紙を送っている。

これほど浮世絵を通じて日本に傾倒し、限りなく日本を愛した画家がほかにいただろうか。彼の一生の願いは、あこがれの日本に行くことだった。しかし、これが実現しなかったことが、日本にとってもゴッホにとってもあるいは幸運であったのかもしれない。

夢と現実との落差を味わわなくてよかったし、日本という国は永久に美化されたまま、ゴッホの中にあった。

ゴッホはまた、油絵で浮世絵版画三点を模写している。広重の最晩年の大作「名所江戸百景」の中の「亀戸梅屋舗」と「大はしあたけの夕立」、もう一点は英泉の縦二枚続き「雲龍打掛の花魁」である。よほどの思い入れがなければ模写はできない。

もともとゴッホはいろいろな職業につき、本格的に画家となる決心をしたのは二十七歳の時と、割合年をとってからである。

彼は若い時からつねに何か人のためになることをしなければいけない、人の役にたちたいと考え続けており、人生とそして絵に対する心はひたむきで、哲学者、求道者の心に近かった。三十七歳という若さで死んでしまうが、画家は死んでも作品によって次の世代に話しかけることができるといっていた。まさしくその通りになったのである。

テオにあてた膨大な手紙から察すると、ゴッホはナイーブな心を持った、淋しがりやの、そして一途な人であったようだ。

私は時々空想する。タイムマシンに乗って、ゴッホに会いにいく。彼、ゴッホは限られた浮世絵しか見ていなかったはずだ。彼にもっとたくさんの広重、北斎の絵を見せてあげたい。高価で手に入らなかっただろう春信や清長、そして歌麿、写楽の絵も見せて一緒に語り合おう。浮世絵のこと、日本のことなど、ともに語り合っていたら、三十七歳で自殺することもなかったかもしれない。友情の証として自分の描いた絵を何枚かくれたかもしれないし、もちろん私も浮世絵を彼が望むだけ進呈しただろうと。

ゴッホ「広重　名所江戸百景　亀戸梅屋舗の模写」

歌川広重「名所江戸百景　亀戸梅屋舗」大判錦絵
山口県立萩美術館・浦上記念館蔵

ゴッホ「広重　名所江戸百景　大はしあたけの夕立の模写」

歌川広重「名所江戸百景　大はしあたけの夕立」大判錦絵
山口県立萩美術館・浦上記念館蔵

日本浮世絵商協同組合の設立

日本浮世絵商協同組合ができてから十五年目に入った。いまではこの協同組合があって当り前のように思われているが、昭和五十六年（一九八一）設立当時の生みの苦しみは、決して容易なものではなかった。

一九七二年、サザビーズ・ニューヨークでポッパー夫人コレクションの売立にはじまった世代交替にともなう浮世絵の放出は、その後一九七四年から毎年四回にわたるベール・コレクションの売立で頂点に達した。

私は当時ささやかなコレクターとして、この売立の何枚かを購入したが、なぜ日本の美術品の収集や取引が、外国主導型でなくてはならないかということが素朴な疑問であった。

欧米主導への疑問

外国の美術館では、ボストン、シカゴの五万点をはじめ、各国、各地の美術館、図書館で多いところで数万点に達し、数千点のコレクションは枚挙にいとまがないほど収集されており、浮世絵の本格的研究は外国に行かねばできないというように、海外の評価が先行していた事情があった。しかし、学問的研究、しかも絵師のランクづけや価格決定まで、すべてが欧米主導型であるのは、やはり日本人の怠慢であり、浮世絵の生まれた国・日本が、浮世絵の本当の価値を誤りなく理解し、学問的にも取引上も世界に対して主導権を持つべきではないかという気持ちがいつも心の中にあった。

早くから海外に出かけ、オークションにも日本人として一番早く参加していた西楽堂・西斎重氏は、私同様にこの矛盾を痛感していた。

西氏の店に通うたびに二人でよくこのことについて話し、従来の浮世絵商と古書籍商、古美術商、そして近来めっきり増えた新画関係の人々と、バラバラになっている浮世絵を取り扱う業者を一つにまとめる団体、すなわち協同組合を結成し、世界に対する発言権の回復、価格決定の主導権、鑑定の確立や展示会はもちろんのこと、さらには浮世絵会館を建設することにまで話がはずんだ。西氏は浮世絵業界の取りまとめは自分がするから、ほかの業界の取りまとめをぜひとも私にと強力な申し入れがあり、早速準備にとりかかった。

設立までの道のり

毎日のように中小企業団体中央会、東京通産局へ通いつめ、書類の作成、事務手続きに明けくれた。ある時はそのあまりの煩雑さに、もうやめようと思ったこともあったが、どうしてもこの協同組合をつくらねばならないというある種の使命感にも似た執念に支えられがんばってきたのである。

私と西氏の提案に賛同して松下同人社・松下浩、兜屋画廊・松岡春夫、中嶋尚美社・中嶋嘉業、原書房・原秀昇、角匠・角田日出男、三田アート・デヴィッド・キャプラン、そしていまは亡きレッドランタン・近藤千太郎の諸氏が発起人になってくれ、それぞれ組合員の勧誘等、すべて無償の努力を提供してくれた。一つの組織を新しくつくるまでには、さまざまな思いがけない問題もおこり大変な苦労のあるもので、そこには誰かの献身的な無私の努力が必要だということを思い知った。幸い私も若かったが、いまでは到底このがんばりはできなかったかもしれない。

西氏関係の浮世絵業界からは老舗のすべて、古書籍からは大御所の弘文荘の反町茂雄氏、書画の部門からは、東京美術倶楽部社長の三谷敬三氏、東京美術商協同組合理事長の藤井一雄氏、古美術関係からは繭山龍泉堂等、各界を代表する人々が趣旨に快く賛同してくれ、出資金を払い込んでいただいた。

若手気鋭の画商部門は兜屋画廊の松岡氏がとりまとめてくれ、当面の事務局を兜屋画廊におくことを快諾してくれた。また外国の有力ディーラーにも呼びかけ、会友として彼らを迎えた。協同組合に外国人が参加することはわが国でもはじめてのケースで、浮世絵がいかに国際的なものであるかの証明にもなった。

「浮世絵界」昭和十三年（一九三八）六月号に次のような記事がのっている。

　浮世繪業界脈動の一方式

　去る四月廿日、上野梅川亭に於ける東京浮世繪會例會席上、次の如き趣意書が東京浮世繪・浮世繪親交會連名を以て内示せられた。卽ちその趣意書といふのは、

趣意書

世は擧げて各々諸般の統制を叫び且つ之を實行爲し各々成果を収めつゝあり。試みに眼を他の業界に向けむか、卽ち何々同業組合、何々組合等々之にして各々共同業を糾合して組合を結成し以て多大の業績を収めつゝあり。かゝる秋に當り獨り我浮世繪業界にのみ此等組織を有せず、舊態依然たるは吾人の等しく遺憾とする所なり。それ賢明なる各位は各々新たなる浮世繪愛好者の獲得其他販路の擴張等々賢索を有せられ、其信ずる所を實行せられつゝあらん。然れども更に一歩進みて總ての同業各位が打つて一丸となり協力一致して其欲する所を行はんか、迫りつゝあるオリンピック開催に際する販賣準備、其他販路の開發等々業界に一大光明を現出し、ひいては好況時代の現出を見む事亦必然なり。それ業者は其賣らむと爲す所の物品の良さを一般社会大衆へ紹介し以て其販路擴張を計るべきは茲に論ずるの要なく、浮世繪業界に於て亦然り。浮世繪を社会大衆へ紹介し以て其販路の擴張を計るは我々同業者の手によらずして何人か能く之を爲さむや。之が妙策如何、そは前述の事例に明かなる如く衆智の和を以て爲すに如かず。

卽ち吾人は同業組合結成の必然性を確認するものなり。茲に於てか吾人は浮世繪業界に強固なる同業組合を組織せんと欲するや切なるものあり。之によりて内は同業各位に親睦を圖り、外は協力以て浮世繪業界永遠の發展を求めむを欲す。是卽吾人が敢て其趣意を提唱する所以なり。幸いに叙上の趣意を諒とせられ、大方の御讃成を得て、この企劃の成功せん事を業界の爲め切に祈るものなり。

昭和十三年四月

右の如くである。その企圖する所言はんと欲する所は、この趣意書につくされてゐるのであるが、この浮世繪業界に生起しつゝある「脈動の方式」を要約して述ぶれば、業界刷新の策として、

浮世繪業界を包括する綜合機關を樹立する——同業組合の如きものを結成する——必要を提唱するといふにある。

要するに、業界自然のなりゆきとして、各個人の自由賣買にまかされてゐる浮世繪同業界を反省し、強大な統制機關を設置せんとするものゝ如くである。

このように、昭和十三年にも同じような運動が起こっていたが、結局まとまらず、それから半世紀近くたった昭和五十六年、わが国の歴史上はじめての浮世絵の協同組合が実現できたの

は、大きくは世の中が真にこれを必要とし、時が熟したということであり、また人々の努力が重なって、先人の悲願も達成されたのである。

浮世絵大入札会の成功

準備をはじめてから七ヵ月かかって、昭和五十六年四月、東京の国際文化会館で開いた創立総会には、楢崎宗重、山口桂三郎両先生をはじめ、東京美術倶楽部・三谷社長、東京美術商協同組合・藤井理事長から祝辞をいただき、また私も喜びをこめて組合設立の挨拶をした。

私はその中で、足利時代の茶人村田珠光《じゅこう》の「心のふみ」という手紙を引用した。「此道、第一わろき事は、心の我慢我執なり。功者をそねみ、初心の者をば見下す事、一段勿体なき事ども也。功者には近付きて一言をも嘆き、又初心の者をば、いかにも育つべき事也……」、すなわち成功者をねたんだり、初心者を馬鹿にするようなことをしない、成功者はよろしく初心者を導くべし、という意味である。昨日の初心者はいつまでも初心者ではない。また反対に今日の成功者も永久に成功者である保証はない。功者、すなわち老練の人々は初心者を正しく導き、正しい浮世絵の評価というものを後世に伝える義務があり、お互い足らざるを補って、わが国の、この世界に誇り得る浮世絵のために、そしてこの協同組合のために精進しようと誓った。

このような経過をたどって本年で十五年目に入り、当時三〇歳の人は四十五歳に、四〇歳の人は五十五歳に、五〇歳の人は六十五歳にと、当然のことながら年を重ね、おのおのが日本の浮世絵界を背負うという気概と責任感を抱いている。

現在組合員は日本全国より六十四名、海外会友として海外八ヵ国より二十四名と、名実ともに世界最大の組織と権威を持つにいたった。

そして平成二年（一九九〇）六月、日本浮世絵商協同組合設立一〇周年を記念する第一回大入札会が開催された。出来高は四億八〇〇〇万円で予想を上まわり、なかでも特筆すべきは北斎の「凱風快晴」が六五〇〇万円で落札され、過去の最高値記録を更新したことである。歌麿の「青楼七小町　玉屋内　花紫」が二四〇〇万円、川瀬巴水「東京十二題」揃が二二二〇万円、広重「甲陽猿橋之図」が二一一二万三〇〇〇円などという結果になった。これまでは一九八七年十二月、サザビーズ・ロンドンで歌麿の「おひさ」が五四六四万円、一九八九年三月、クリスティーズ・ニューヨークで写楽の「坂田半五郎」が六〇九〇万円で落札されたのが記録であった。記録を更新する条件の一つとして、売立の主催者の信用度があげられる。ほかに記録更

日本浮世絵商協同組合創立総会（昭和56年4月）

歌川広重「甲陽猿橋之図」　大判錦絵掛物絵
山口県立萩美術館・浦上記念館蔵

新の銘柄が多く見られたが、これはやはり日本浮世絵商協同組合が専門家の集団であり、顧客に対しての信用度が高かったことを意味している。また、出品数と実際落札数との比率は五九パーセントとなり、この種の入札会の平均値を大きく上まわった。

この催事は、浮世絵界のビッグニュースとしてただちに世界中に伝わり、七月の定例交換会では外国からの参加者も多く、出来高も六〇〇〇万円と普段より多く、好調であった。いままでの実績で、年三回（一月・五月・十月）催される大会は平均一億数千万円を下らず、毎月六日の定例交換会も出来高は毎月増加して、やっと浮世絵の認識が向上しはじめたと考えている。

第二章

千客万来

平成二年（一九九〇）はジャスパー・ジョーンズ生誕六〇年にあたったので、ワシントンを皮切りにスイスのバーゼル、そしてロンドンなど世界各地で大企画展が開かれた。日本でも伊勢丹で版画の展覧会が開催されたが、何といっても昭和五十三年（一九七八）に西武美術館（現セゾン美術館）で開かれた大回顧展は圧巻であった。

そしてこの展覧会のため、ジャスパー氏自身も来日していた。ジャスパー・ジョーンズのほとんどのシルクスクリーンを制作している、シムカプリントアーチスツ代表・川西浩史氏から、ジャスパーが古陶磁や浮世絵を手でふれて見てみたいといっているので私の家に連れていきたい、との依頼があった。

日常の事物に新しい表情を見る

この傑出した世界的アーチストを迎えるため、いろいろと茶室の取り合わせを考えたが、結局、床の間には俵屋宗達下絵、松花堂昭乗筆の掛物、花生は李朝白磁面取瓶、香合は明時代初期の堆朱花文、水指は明時代の法花花文、茶碗は李朝粉引、菓子器は初期伊万里渦巻文銘々皿とした。

彼は茶室にいる間中、キチンと正座し、楽にするようすすめても、日本の儀礼を尊重して最後まで姿勢を崩さなかった。居間に移ってから中国の漢、六朝、隋、唐、宋、明と次々と時代順に並べたが、「物をじっくり見つめること↓そして考える」という彼の画論そのままに、一つひとつを確かめるように丁寧に鑑賞し、その取り扱いも危なげない堂々たるものであった。

宋時代の黒釉《こくゆう》銹《しゅう》斑文《はんもん》双耳《そうじ》壺《こ》を見た時、その壺の途中、釉薬の流れが止まるいわゆる薬切れと下の素地との対照を、「一つの作品の中に二つの世界観を意識せず入れてあり、これがこの作品の魅力である」と感想を述べ、思いがけない陶磁の鑑賞法を披露してくれて大変参考になった。これは、彼の持論である「日常の事物が新しい表情を持つ」ことに一致する。浮世絵を見

筆者宅，茶室内でのジャスパー・ジョーンズ氏

る時も、写楽、歌麿などを丁寧に、その作品に敬意を払って鑑賞し、その態度は一流人としての貫禄に溢れていた。その日は美術評論家・東野芳明氏との夕刻の約束をキャンセルして、遅くまで熱心に鑑賞し続けた。この様子は当時、雑誌「世界」に彼自身が述べている。

私が「コレクションに追われて、家の改装まで手がまわらず、あばら屋で申し訳ない。日本の普通の家はもっと立派だから誤解ないように」というと、大きな声を出して笑い、別れ際、私の払った労に対して深く謝意を表してくれた。そして、鑑賞した作品を称讃し、本日見た中で一番の傑作は「るり」(私の孫娘で当時二歳)だと、大変な社交辞令を残して去っていった。

「美」を前に語らう

美術品をコレクションしていて最もよいことは、交遊の範囲が無限に拡がることである。普通の関係ではめったにつきあうことのできない人々と対等に接し、社会的な地位とか年齢とかいう世俗的な事柄はすべて超越して、そこにはただ「美」があるだけである。価格の高低にかかわらず、筋の通った美術品を持っていれば、何も語らなくとも人々は敬意を払ってくれるし、またたとえいかに高価な代金を払ったにせよ、駄物であればその人の眼識が疑われるというき

上　明　法花蓮華文洗（ほうかれんげもんせん）
山口県立萩美術館・浦上記念館蔵
下　宋　黒釉銹斑文双耳壺
同上

わめてこわい世界でもある。

私がまだ若く、鉱山会社を経営していた頃、融資をしてもらう金融機関の重役が外国で買ってきた絵の評価をしたことがある。それ以来、その重役と親しくなり、ざっくばらんに会社の状況陳情ができたことや、また、取引先の大会社の社長が絵が好きで、暇を見つけては車を迎えに寄こし、私宅にて絵を前にして美術談議をし、それによって取引が円滑に進んだこともあった。あるいは、訪れた会社の応接室に掛かっている絵の作者の名前がすぐわかれば、相手は驚いて話はそこからはじまり進んでいくことなど、ずいぶんと仕事の助けともなった。

またもう一つの利点は、自然とその時代時代について勉強しはじめることである。学生時代、面白くなかった世界史や日本史をむさぼるように勉強し、その時代の背景を研究して、ちょっとした学者顔負けの知識ができる。これによって、いっそう古美術を愛し、コレクションにも身が入るようになった。

貪欲な芸術家たち

私宅は千客万来であった。古陶磁では、『陶磁の道』を著わした、いまは亡き東京大学名誉

1978年にジャスパー・ジョーンズ氏より筆者に贈られた作品。
筆者の希望で長男・満の名前が記されている。

教授・三上次男先生や京都市立芸術大学学長の佐藤雅彦氏、そのほか多くの学者、研究者、多数の愛好者、また絵画の方でも日本や外国の作家たち、たとえばジョエル・シャピロやジェニファー・バートレットら、さらに茶道や華道の家元、陶芸家など、交遊の拡がりは無限であった。

博物館や美術館に行けば、よいものがいくらでも見られるが、個人のコレクションは手にふれてゆっくり鑑賞できるということと、ほかにも何か一味変わった魅力があるのであろう。優れた芸術家は、貪欲に自分の専門外の美術を勉強し、見、そして所有したがる。梅原龍三郎も明の赤絵、宋赤絵、そしてキクラデスまで収集し、それを自己の作品のモチーフにしたが、収集の基準として、自分の力では到底およばないものについて集めると語っていた。

異種の美術に興味を示さない芸術家は概して大成しない。安田靫彦、山口蓬春、鳥海青児、小説家では吉川英治、大佛次郎、川端康成、そして近年亡くなった井上靖などは、みな屈指のコレクターであった。私の親しい多くの芸術家たちもそれぞれ収集に意欲を燃やしている。

あのゴッホでさえ、貧乏の最中、弟テオが金を出したにせよ、二〇〇点（一説には四〇〇点）にのぼる浮世絵を収集していた。マネ、モネ、ロートレック、ボナールらも、みな浮世絵

筆者宅で浮世絵を鑑賞するジャスパー・ジョーンズ（右）

を買っていたのである。

現代陶芸の人気もすばらしい。しかし彼ら陶芸家は、黙々と古陶磁を求めている。たとえば、中国古代の彩陶、いわゆるアンダーソン土器からはじまって、戦国時代や漢の時代の作品など、自分の作品を売れば何点かの古陶磁が購入できる。まさに錬金術そのものである。こんな不思議な信じがたい現象が続くのも、後しばらくの間であろう。

海外の作家たちとの交流

外国の画家がはじめて私宅を訪れたのは、昭和三十九年（一九六四）のことである。飯田画廊が、イスラエル生まれでパリで活躍しているベラ・ブリゼルという女流画家の展覧会を大々的に開催し、評論家の今泉篤男氏や針生一郎氏が賛辞をよせていた。

訪日の機会に、日本の伝統であるお茶と懐石料理を経験したいという希望であったので、一夕、私宅に招待した。彼女の夫であるシオマ・バラムという美術評論家と一緒に、当時まだ東大生であった飯田昌平氏が案内して来宅した。こちらも気張って金蒔絵の重箱や上等の懐石道具を使って食事をすすめた。彼女たちは器に驚嘆し、懐石料理を称讃した。

話は夜更けまで続いたが、私の家にあった絵の中で一番関心を示したのは、その時に掛けてあった三岸好太郎の「女」のデッサンと、その一連の作品であった。シオマ・バラムはさすがに評論家らしく、好太郎の画業が知りたいといい、画集や作品を見せたが、大きく変化する彼の画風を見て、もう少し長生きしていたら、必ず世界に通用しただろうといった。反対に、林武や梅原龍三郎の絵を見て、日本の大家はどうして前世紀的なものを追いかけるのだろう、と素直な感想を述べていた。

翌日、お礼に来宅した飯田社長はベラの絵をスポンサー的に買ってくれと粘り、結局部屋に掛けてあった児島善三郎の10F号「初夏池畔」と交換ということで話が決まった。そのベラの25F号の絵は、いまも常時部屋に掛けてある。その後、飯田画廊はベラの絵の取り扱いを止めたので、いまベラがパリでどのような評価を受けているのか情報は入らない。

ジョエル・シャピロの作品は、「WALK」と名づけられ、博多駅前広場にある福岡シティ銀行の前で遠くを見つめている。また、佐倉の川村記念美術館屋外にも飾られており、いまや抽象彫刻の世界的作家である。

ジェニファー・バートレットも世界的に注目される作家となった。その作品は世界各地の美

上　筆者宅でのジョエル・シャピロ氏（左）
下　ベラ・ブリゼル氏（左から2人目）と筆者一家

術館に収蔵され、日本では慶應義塾大学図書館の壁面に、大作「日本の海にて」が飾ってある。ジャスパー、シャピロ、バートレットの三人とも、帰国後それぞれ自分の作品のリトグラフに、私の名前を書き込んで送ってきてくれた。何と礼儀正しい人たちであろう。

「猫」の招いた縁

昭和三十七年（一九六二）、加山又造の12号「猫」が手に入った時、これを知って画家の藤村喜美子さんが、彫刻家の井上武吉氏をともなって来宅した。絵を前にしていろいろと美術のことを語り合い、楽しい一日を過ごした。ジャンルの異なる抽象作家が、強いて無視しがちな具象、しかも最も伝統的な日本画の世界に興味を抱いて、わざわざ鑑賞に訪れる。その姿勢は立派である。井上氏はその後間もなく、毎年のように各美術展で次々と賞を獲得するようになり、一躍世界に躍り出た。

熊谷守一にも、若い頃のあの自画像に見るような堅実な力強い具象画があり、時期を経て、厳しい修練によって晩年の彼独自の画風が生まれる。

絵はシンプルなほどむずかしいものであろう。確たる能力もなく、単に抽象画を描く人々、いまの流行を追う人々は間もなく行きづまり、息切れして消えていくことであろう。抽象に逃げるのではなく、作家は悩み、苦しみ、そして必然的に抽象に移行することこそ必要である。それは自分の心の成長による自然の経過である。

後年、南天子《なんてんし》画廊から「井上武吉展」の案内を受け会場に行くと、井上氏が一目見て、浦上さんではありませんかと声をかけてくれた。もう二〇年も前のことなのに、あの加山の「猫」はまだいますか、と聞かれまったく驚いた。「猫」は逃げてしまったと答えたが、一枚の絵を媒介としてよほど強烈な印象がない限り、二〇年も音信不通の人間を思い出すわけがない。

彼はいま、誰もが知っている高名な彫刻家である。

松方氏との縁で咲く椿

庭の椿も白玉、紅玉、侘助、あけぼのと時節がくれば咲き競う。これは、松方コレクションとして有名な松方一族の松方亮三氏が、お茶花として必要であろうと、私の家に庭師を連れてきて植えてくれたものである。樹は年々成長し、花を咲かせ、贈り主をしのばせる。贈り物としては最高のものである。

松方氏と知り合ったのは昭和三十年代後半、私の家に三岸節子さんの絵がたくさんあることを聞いて、鑑賞のため来宅したのが最初の出会いであった。以来、もう早いもので三〇年以上にもなった。

かつて松方氏は、マルク・シャガールの代表作「ダフニスとクロエ」四十二枚の全セット（ダブルシート十六枚、シングルシート二十六枚）を購入した。ギャルリームカイの向井加寿枝さんが、これを全部額装して松方邸に届けたが、当日はダークダックスのパクさんこと高見澤宏氏や、俳優の中村嘉葎雄氏も集まって、みなで手わけして部屋に全作品を飾りつけ、ワインで乾杯、音楽を聞きながら鑑賞した経験を忘れることができない。好きな絵を前にして、心を許した友人たちと盃をかたむけて芸術を語る、理想的な雰囲気であった。

いま、南麻布にある大韓民国大使館が、旧松方邸であった。昭和二十四、五年頃、松方家の蔵にあった中国元時代の染付松竹梅の壺と、六朝（北魏）時代の駱駝《らくだ》の俑を、繭山順吉氏に評価してもらったところ、元の壺が一〇万円、六朝の駱駝が十五万円であったそうで、松方氏は、駱駝に愛着があって元の壺を手放したが、まだその頃は元時代の染付は学説として認知されず、とにかく古い染付とされていたのである。その後、ずいぶんたって松方氏は駱駝も手放し、そ

北魏　灰陶加彩駱駝（かいとうかさいらくだ）
山口県立萩美術館・浦上記念館蔵

れはめぐりめぐって繭山龍泉堂の手に入り、結局最後は私の手元に入った。めぐり合わせとはなかなか面白い。

安らかなる国、タイへ

タイのチェンマイに住む英国人のショウ氏より、自分の収集したタイを中心とする東南アジアの古陶磁を披露したいという招待状が松方氏のところへ届いた。誘われて家内と西田宏子さんと四名でタイに出向いた。

松方氏が大使館を通じて手配した、バンコクの古風な歴史あるエラワンホテルに一泊し、翌日飛行機でチェンマイに赴くと、飛行場には、国連から派遣されたというチェンマイ大学の加藤教授が出迎えていた。夕刻の披露パーティーまで時間があるので、とりあえず彼の家に案内された。大きく立派な家で、入口にブーゲンビリアの花が見事に咲いていた。加藤教授は天目釉の研究をしていて、木の葉や曜変の天目の再現に挑戦しているとのことであった。

夕刻ショウ氏宅を訪れると、彼の妻で、元ミス・タイであったという美人が流暢な英語で出迎え、現地の名士が多く集まっていた。公爵マツカタの到着ということで拍手で迎えられ、西田さんはオックスフォード大学の博士ということで、また満場の拍手であった。

西田さんは国費留学生として英国オックスフォード大学で勉学し、輸出伊万里焼の研究で博士号をとった。三上次男先生が私宅の中国陶磁を研究するために同伴されたのが、西田さんとのおつきあいのはじめである。

西田さんは、先年の韓国政府よりの招待留学の際には、韓国語の読み書きをマスターし、中国を旅行するために中国語も勉強し、いまでは伊万里だけでなく、中国、朝鮮の陶磁についても、並みの学者をはるかに追い越すほどに成長した。彼女は普通、朝の四時まで勉強しているという。そして長年の家風で七時には必ず起床し、両親と朝食をともにする。とすると毎日三時間しか就寝時間がないことになる。ただ夏の間だけは、部屋が東向きで寝る時刻にはもう明るくなっているので、午前零時に就寝、四時起床にしているそうである。生来頭のよいところに、これだけ勉学、努力すれば、たちまち人より優れるのは当然である。

神が人間に与えた平等には二つあるといわれている。一つは誰でも、どんな人でも確実に死ぬということ。そしてもう一つは、人間誰でも公平に一日二十四時間をもらっていることである。その限られた時間をどのように使うかは各人の自由に任されており、しかもいったん過ぎ去った時間はもはや、いかなることがあろうとも再び返らないということである。

ショウ氏宅のパーティーがようやくたけなわになってきた頃、私は出国前からの身体の不調がひどくなり、この時になって耐えきれぬ疲労感で宴席を離れた。二階のバルコニーに出て、ソファーに腰掛け、中天の満月を眺めていると、遠い慶長の昔、山田長政がこのタイ国でリゴルの領主の地位につき、ついには暗殺された故事をしのび、彼もまたこの地でこの同じ月を眺め、何を思ったか、望郷の念か、はたまた野望か、熱にうなされて夢うつつの心境であった。

私は以後もずっと熱が高く、結局、九日間のタイ旅行はほとんどホテルの天井を眺めて過ごすことになってしまった。松方氏は外出せずに、ホテルの部屋にこもって本を読みながら私の看病をしてくれた。西田さんはいまでも、せっかく海外に出かけたのに、一人は本ばかり読み、一人は寝てばかりいる、こんな珍しい組み合わせの旅行は経験したことがないといっている。

画家・中村正義のこと

「歳月人を待たず」という言葉は、ある程度の年齢に達しないと実感を持って理解しがたい。地下鉄の階段を二段とびに昇っていく若い人たちを見ると、これは少し前までの自分の姿であったのに気がつく。

老化というものは意識することなく、しかし何と急速にやってくるものだろう。毛髪が知らぬ間に白くなっていく。皺が目に見えて増えていく。死ジミがあちこちに突然という感じで出てくる。無為徒食、何もしないでも、昨日の続きが今日であり、今日寝て目が覚めれば明日であり、どこで仕切るかはむずかしい。この平凡なくりかえしで確実に歳をとり、一生は終わるのである。

一生懸命努力し、悩んでも生きる時間に変わりはない。悠久の宇宙より見れば、生まれては消えていく一瞬の命であり、すべてはとるに足らぬことである。だが所詮、人間は後に続く我々の子孫に何を残せるかということに意義があるのであろう。

年齢では死んだ母や兄をはるかに追い越しても、心の中の彼らは依然として自分より年長であり、尊敬できるのは面白い心理状態である。ちなみに正岡子規、芥川龍之介、モーツァルトは三十五歳でこの世を去り、ゴッホやロートレック、尾崎紅葉が三十七歳、あの大石内蔵助が四十四歳、夏目漱石が四十九歳、芭蕉が五〇歳で死んでいる。みな、私よりはるかに年上のように思っていたのに驚くべきことである。

「吾が齢かへりみることもなかりしをしみじみとして春の霜白し」とは、一〇〇歳で亡くなった土屋文明の歌である。平均寿命はまちがいなく驚異的に延びた。しかし私個人の寿命まで保証してくれるわけではない。いつ突然死が訪れるか誰にもわからない。

「二〇世紀に入って米国の寿命は四十七歳から七十一歳に延びた。ランド研究会社は紀元二〇〇〇年までには一五〇歳まで寿命が延びると予言している。最も保守的な老化現象研究家でさえ、二〇〇〇年までには科学と医学の力で一〇〇歳までまともな健康状態で生き延びることの可能性を想像している」という記事を、以前新聞で読んだことがある。しかし私の寿命にはもう間に合わないかもしれない。昔から不老不死は人間の最大の願望であった。あらゆる貴賤男女がこのことで悩み、そして如何ともなしがたく死んでいったのである。この世の中は何が起こるか予測もできない。いろいろな出来事の中、一番はっきりした確実なものは、人間は必ず死ぬということである。

仏教的世界への関心

中村正義氏は晩年、中国六朝時代（四〜六世紀）の仏や俑に異常なほど関心を示した。彼の描く絵にも、六朝仏に似た作品が増えてきた。昭和四十七年（一九七二）、大阪の松坂屋で開催された個展の出品作も、六朝仏や日本の古くは平安時代の国宝「信貴山縁起絵巻」の山水、少し下っては室町時代の重要文化財、六曲一双の「日月山水図」（金剛寺蔵）の山水の面影に似た色調の出品作が多かった。

中村正義氏とはじめて会ったのは羽黒洞《はぐろどう》である。羽黒洞は当時、湯島の格子戸のある純日本風のしもたやで、主人の木村東介氏は片腕のない、童顔だがどこか壮士を思わせる風貌であった。片腕がないのは、若い時、右翼の出入りで斬り落とされたのだと、人の噂で聞いた。羽黒洞は民族美術と反逆の精神を表に打ち出し、肉筆浮世絵を主体に、過去あまり評価されなかった画家の再認識を促し、非主流の現代作家の作品が多かった。

昭和三十三年（一九五八）頃、画家の三岸節子さんが、木村さんは一風変わった大変面白い画商だから一度行ってみたらとすすめてくれた。以来、羽黒洞とは長い馴染みであった。店を訪れると中村氏と顔を合わすことが多かったし、二階の応接間に通されて、木村氏が不在の時は中村氏が私の相手をした。「オーイ、お茶をもってこい」とまるで自分の女房にいうように木村氏の姉娘の品子さんを使っていた。

さて、中村氏のたっての希望で、大阪造船所の南景樹社長所蔵の古陶磁を鑑賞するため、大阪に同伴した。中村氏はそのコレクションの中で、中国の六朝時代の文官俑が大変気に入り、もしこのような品が出たらどうしても自分で買いたい、ぜひ探してくれと大変な執心であった。

南さんとの出会いは、私の会社の取引先であった日本モリブデンの白仁社長が、古陶磁鑑賞のために私の家に同伴されたのが最初であった。さまざまな古陶磁を見るうちに、南さんも夢中になり、その夜、帰りの大阪行き飛行機の切符をキャンセルして一泊された。そして、南さんよりずっと若い私でさえこのような品物が収集できるのであれば、自分も一つ本格的に収集

六朝　加彩文官立俑（かさいぶんかんりつよう）
山口県立萩美術館・浦上記念館蔵

し、若い陶芸作家たちが自由に手にふれて鑑賞できる場所と物を提供したいという目的で、南さんの収集がはじまった。それはちょうど大阪で万博が開催された昭和四十五年（一九七〇）であり、南さんの要請で万博見物をかねて大阪造船所を訪ねた。

平野古陶軒で明嘉靖年製黄地紅彩蓋物《みんかせいねんせいおうじこうさいふたもの》など二、三点を買ったのが、南コレクションの出発である。南さんは当時、日本造船工業会の副会長の要職にあり多忙であったが、上京の際には寸暇を捻出し、私とともに古美術店をまわった。当初は私に、私の眼鏡に適ったものを買っておいてくれということであったが、これでは浦上コレクションになるので、ぜひ自分の眼で選ぶようすすめ、その桁はずれの財力で名品が続々集まった。私もそのおかげで業者秘蔵の名品とか、到底私の力では買えない数々の品々を見る機会を得て、実に勉強になった。

古美術の世界には南さんのようなコレクターが時々出現して業界に刺激を与え、市場は活性化する。少し前では、安宅産業の安宅英一氏であり、また外国のオークション市場を賑わした松岡美術館の松岡清次郎さんもそうであった。残念なことに松岡さんも、南さんも六年前に亡くなられた。私は若い頃からの交際に年長者が多かったため、知遇を得た人々のほとんどが亡くなってしまった。

権威に反撥する

中村氏との話に戻ると、夕刻遅くまでかかって南コレクションを鑑賞し、その後吉兆で夕食をともにしながら、中村氏の談議はとどまるところを知らなかった。幼くして天才とうたわれ、昭和三十五年（一九六〇）、三十六歳という異例の若さで日展の審査員となった彼は、その権威的な制度と、あまりにも不公平な審査方法に反逆して翌年日展を去った。それ以後の苦渋が言葉のはしばしにうかがわれた。

あり余る才能を持つゆえに、大家と称せられる人々の無能さを見抜き、また大家と称せられるゆえに、実力以上に大衆にもてはやされる矛盾を、自分一人でもいいから暴露し、改革したいという心のはやりが彼を多弁にさせ、人々に誤解を与えた。

日展審査員の肩書きをたたきつけ、脱退してから彼の取り組んだ仕事は「顔」シリーズであった。このポップアートの絵は人々を戸惑わせた。彼は自由人となり、おしきせでない、自分の本当に描きたいものに取り組んだ。が、人々の理解は得られなかった。彼はまた再び、具象の風景を描いた。待ちかねたように画商たちは彼の家を訪れた。愛想をつかして脱退した日展のような、そして彼が最も嫌った五都展のメンバーにもなった。

彼はこの一見矛盾した事柄について、「あれほど期待された画家も、組織を離れたら、もう駄目になったという声に反撥した」といっている。「こんな絵はすぐにでも描けるのだ。これで画商たちをペテンにかけてやる」ともいっていた。事実、彼は誰にでも好かれるいわゆる「売り絵」を描こうと思えば、たちどころに描いた。有名大家の贋作でも、描けといわれれば、誰にも判別がつかぬように描いてみせるともいっていた。このような苦しい心の葛藤がいつも彼にはあった。

彼はまた昭和四十九年（一九七四）、五〇歳の時「人人」展を主催し、実力がありながら世に入れられない画家の育成に努めた。この「人人」展の標題は人を縦にせず横に並べたところにもやはり彼の意図がある。斉藤真一を世に出し、大島哲以、田島征三など、彼の推奨する画家はすべて羽黒洞が取り扱った。また浮世絵にも強い関心を持ち、『写楽論』などの著書もある。浮世絵師たちが当時、世に容れられない、権力に認められない反体制的な作家であったため、いっそう彼の興味を引いたのかもしれない。

その後、とうとう彼は念願である東京美術展を東京都美術館で、日展の展示と並行して実現した。日展という何とも権威的な、ドロリとしたかたまりを叩き潰すことを念願としていた彼にとって、このことはやっとその目的に向かって楔を打ち込んだという満足感があった。しかし、日展は相変わらず盛況が続いている。この美術ブームで前よりもいっそう盛んになったようである。既成の権威を打ち壊すことのいかに困難なことかと、あらためて思わされる。

走って見よ、そして立ち止まれ

中村氏は都美術館で開催される各種団体展を見る時は、絵の前を走って通るといつもいっていた。そして目を引く絵の前で立ち止まる。自分のように訓練を重ねると、走って通っても決して見誤ることはない。しかし、最近は立ち止まることもないほど絵の質が落ちたと嘆いていた。

彼の秀麗な顔立ちは、時として人に冷たさを印象づけた。自分の心の中のいやらしさ、汚さも十分に認識していた。しかし本当の絵とは何か、そして自分とは何なのかといった人間の生き方についての問題意識をつねに持っていたことは確かである。

芸術は実用的でありたいと願う。ここにいう実用的でありたいとは、

中村正義「色即是空」1972年

なぜその絵が　良い……

なぜその絵が　悪い……

この理由を明確にすることが、私の使う実用的という言葉の内容である。

と記した彼の言葉がある。

昭和五十二年（一九七七）、画家・中村正義は結核と癌で世を去った。五十二歳であった。

やがて死ぬけしきは見えず蟬の声　　芭蕉

川端康成と岩崎勝平

つねづね画家は、それぞれが自分の腕はたいしたものだと思っているようだ。そしてほかの画家などたいしたことはない、誰々の亜流ではないか、実にくだらないと豪語する。たまたま時流に乗った作家の絵が市場で高く売れだすと、たまらない感情をわが身にたぎらせる。ある者はそれによって発奮し、ある者は嫉妬と羨望に目がくらんで、単に悪言のみを口走り、肝心の絵の修業はおろそかになる。またある者は深く沈潜して世の中を信じなくなり、自分の絵まで駄目にしてしまう。

日本中には何万人かの絵描きがおり、そのうち、市場で自由に売買可能な画家は一〇〇人位しかいないという。非常に狭き門であるこの世界では、実力のみで世に出ることは不可能であるかもしれない。そこには運が大きく左右し、また世俗的な世渡り術も必要となる。

しかし、どんな画家でも心の隅では俺が一番うまいと考えている。またこの位の自信がなければ、激しい競争に打ち勝つことはできないのかもしれない。しかも日本の美術愛好家は、画家の名前と画商の推薦という他人まかせの鑑賞をする悪い癖があって、画家は画商に気に入られないと世に出ることはできない。自分の高尚な芸術を世に出すために、画商は必要悪であると画家はいう。

私の場合、小学校の頃から新聞社主催のスケッチ大会でいつも賞をもらっていたし、絵を描くことは子どもなりに自信があった。

中学二年生の時、図画の時間に運動会のポスターを描かされた。私は前面一杯に脚二本を大きく描き、その間から旗とその下を走る群像を描いた。アイデアといい、でき具合といい自信作であった。しかし図画の教師は、こんな奇をてらう奇抜な構図は邪道だといってひどくこきおろした。私は大きく傷つき、この先生は絵というものを何もわかっていないと反撥した。いまでもはっきり覚えているのだから、相当なショックであったに違いない。

後年、浮世絵を知るようになって、広重の「名所江戸百景」のシリーズの中に「はねたのわたし弁天の社」という絵があり、これが私の前述の絵とまったく同じ手法であった。

歌川広重「名所江戸百景　はねたのわたし弁天の社」大判錦絵
山口県立萩美術館・浦上記念館蔵

筆者16歳の頃の作品ノートより

私は現在、時々絵の審査を依頼されることがある。およそ、画家を志す者は幼少時より人に抜きん出て、天才、神童といわれた人たちばかりである。出品された作品はそれぞれが自信作で、これを審査する場合、その結果で多くの画家が傷つくのが明瞭であるので気が進まない。

画才は天分によって大半を支配される。後は努力と修業によって磨きをかけるだけだ。また、性格的にも常人と異なる人に、立派な絵が描けるパーセンテージが大きい。いわゆる世俗、世評を無視できるからだろう。現在大家と称せられている人々の中には、その文章、墨跡に、やはり一家言として一流を極めた人にのみいえる何かがある。

その人の絵の本質や実力に対する評価が定まるのは、やはり活動停止後五〇年はかかるようである。したがって、いま世にもてはやされて盛んに売れている絵も、私が死ぬまでは評価され続けるだろう。「芸術家は死してはじめて真の評価が定まる。自分の芸術は後世に問うのだ」とは画家の好んで用いる言葉であるけれど、現世では理解されず、後世でその真価が評価されるという例はきわめて稀なことで、大半は強がりの自己詭弁にすぎない。私がこんなことを書いたのは、岩崎勝平《かつひら》という世に容れられず死んだ一人の画家について語るためである。

画家・岩崎勝平の盛衰

私は生前の岩崎勝平氏を知らない。行きつけの古美術店・繭山龍泉堂で、高橋三朗氏より「この絵はどうでしょう」と見せられたのが岩崎氏の作品を見た最初である。「カトレヤ」と「琉球の女」、いずれも小品ではあるが、筋の通った立派な絵であった。そして高橋氏より彼のことを聞くほどに、芸術家によくある、不遇のうちに世を去った本人の無念さが痛いほどわかった。

彼は生前、足しげく龍泉堂に立ち寄り、中国、朝鮮、日本の古陶磁の名品を見せてもらった。そしてその批評はきわめて適切であったという。彼のような何も買わない者は、当然招かれざる客であった。それにもかかわらず、さすがは老舗であり、高橋氏や、その頃龍泉堂に籍をおいていた北山喜立氏、後藤恒雄氏らの損得抜きの温かい善意は、世をすね、絵に行きづまった岩崎氏にとっては、まったく砂漠のオアシスのごとく、渇いた心にしみわたる糧であったに違いない。

癌の宣告を受け、入院中の病床から、当時まだ若かった後藤氏に自分の心境や画論をしたためた手紙を三十数通も出しているのは、立場や年齢をこえて心のつながりを大切にした彼の気持ちと理解することができる。画家は死して絵を残し、いまこの絵を前にして、ありし日のいろいろな言動が語られる。もって芸術家冥利に尽きるというべきである。

彼の生前の望みは、長い間開いていない個展をすることであった。しかし、どこの画廊も引き受けなかった。私は、彼の遺志を叶えてやりたいという思いにかられ、岩崎氏の絵を三、四点持って兜屋画廊を訪れ、遺作展の開催を依頼した。兜屋画廊もただちに私の意とするところを理解し、申し入れに同意してくれ、遺族のところへ赴いて絵の選別をした。また、川端康成氏、河北倫明氏にお願いをして立派な推薦文ももらい、昭和四十三年（一九六八）、兜屋画廊において第一回の「岩崎勝平遺作展」開催の運びになったのである。

川端さんは岩崎氏の絵を三点も購入され、前記龍泉堂の三氏もみなそれぞれ買ってすべて売却済となった。

岩崎氏の略歴を記すと、

明治三十八年（一九〇五）　川越市に生まれる。

昭和五年（一九三〇）　旧制川越中を経て東京美術学校卒。

昭和十一年（一九三六）、十二年　文展にて特選首席（以降無鑑査）。
昭和十五年（一九四〇）　春台展にて岡田賞受賞。
昭和二十五年（一九五〇）　上野松坂屋にて「東京百景デッサン展」。
昭和二十六年（一九五一）　中央公論画廊にて「東京百景デッサン展」。
昭和三十九年（一九六四）九月　東京都練馬にて死去。

河北倫明氏の推薦文も好意に満ちたものであった。その中で、美術界の古い仲間と付き合うことを極端に避けていたから、画壇的には全く孤独であったが、普通にやっていれば、まちがいなく然るべき地歩を占めた人であろう。しかし彼にとってお世辞をいって付き合ったり、不愉快なことをしたりする位なら、何もかかわりの無い方がはるかに良かったので、金が無いことは残念そうであったが、作家としての気位はいつも高く立派であった。もちろんその多くの作品には、彼のそうした気性が鋭く表われて澄んだ調べをなしている。

と、はしなくも彼の世をすねた心情を述べている。高階秀爾氏も週刊誌の美術欄に大きく取り上げた。そしてこの展覧会は大成功のうちに終了し、話題となった。私も世話のしがいがあり満足したわけである。

その後、第二回、第三回と展覧会を続け、彼一代の画集を出版し、広く一般の目にふれれば、必ずや人々の記憶に残ったことであろう。しかしどういうわけか、彼の兄が、以後作品を出すことを渋った。兜屋画廊で華やかに売却されてゆく様子を見て、売り値と仕切り値の差の損得を思い、自分自身で売却することを考えたのかもしれない。そして小欲は家門の名誉と勝平の悲願を奪った。そのうえ、彼のために私心なく、物心にわたり援助した多くの人々の期待をも裏切ったのである。

現在、岩崎勝平の名前は、その周辺のわずかの人々の間にのみ記憶されるだけである。

金泥の写経

城山三郎著『男たちの好日』を読んだ。日本を今日の経済大国に育てた、その基礎ともいえる主人公・牧。現在ではこの小説の牧のような人物、明治生まれの発展途上の日本で「国家を幸せにする事はあっても、国家によって幸せにしてもらおうとは思わなかった男」、このような人物を見ることはできなくなった。

牧は、本気で「日本の柱」となることばかりを念じ、自己の犠牲においてあらゆる辛苦を乗り切って成功させた会社も、結局は何もわからぬ机上計算の官僚によって無惨に切りさかれる過程が企業小説としてまさに出色のできである。

戦後復興の頃

戦後、昭和二、三十年代の日本の企業家は、誰でも一日も早く日本を復興し、豊かな国にしたいという願望を抱いていたはずだ。そして励んで、今日の隆盛、豊かさがあるわけである。私のいた清久鉱業も三〇〇人の従業員をかかえ、モリブデン、タングステン鉱の採掘・選鉱をし、生産量は少量ではあったが、日本では一番であった。モリブデンは稀少鉱物で、国内生産量は少なく、大半は海外からの輸入に頼っていた。当時の日本は極端な外貨不足で、何とかして外貨をためようという時期であり、私たちのスローガンも、一トン増産すれば、それだけ輸入が減り、その結果外貨が節約できるというものであった。

たとえば、昭和三十六年（一九六一）に海外旅行の自由化が世界の圧力によってはじめて実施されたが、その時の当局談は「海外に出かけても、買物は控えるように。日本は外貨が大変不足しているから」という位で、現在の「なるべく買物をして外貨を減らしましょう」という状態とはまったく正反対であった。

鉱山は鉱脈にさえ当たれば、どんな放漫経営でも黒字になるし、反対に鉱脈が見つからなければ、いかに模範的な合理化経営をしても倒産するというきわめて特異な企業体である。したがって、市中銀行は当然融資の対象から外しており、借り入れは日本開発銀行や中小企業金融公庫、商工中金などの政府系金融機関に依存し、または取引先からの前借りに頼っていた。月の経費の大半は次の鉱脈を探すこと、すなわち探鉱作業に費した。鉱石の出荷の遅れた時など、従業員の給料の手配は大変な苦労で、しかもそれが毎月のことであった。取引先からの前借り、金融機関からの緊急融資の交渉など、その苦労は並みではなかった。

ところで、終戦前から終戦後しばらくの間、乗り物の混み具合はすさまじいものであった。汽車はスシ詰め超満員で、デッキまで人がぶら下がり、停車駅での乗降はすべて窓からであった。便所のドアも開けたままで便器の上にも人が立ったため、便所も使用できず、長距離旅行者、特に女性は大変な苦労であった。よくしたもので窓から乗る時は、荷物をまず中にいる人が受け取り、そして人を引っ張りあげる。窓から降りる時もみなで手伝った。もちろん、通路には座る余地はなかった。

このような交通事情の中、島根県から東京の取引先に手形を受け取るための出張は十八時間もかかり、列車の数も一日一本であるからその混雑ぶりもすさまじかった。立ち続けで翌朝東京に着き、ただちに取引先数ヵ所をまわって、出し渋る手形を何とか受け取り、その夜再び十八時間立ち続けて朝、松江に着いて、銀行で割引するといういまでは考えられない苦労の連続であった。もちろん寝台車も、グリーン車もなかった頃である。

岸元総理の思い出

私がいまは亡き岸信介元総理にはじめて会ったのは、昭和二十九年（一九五四）の東京であった。そしてすぐ後、松江に遊説に来られた時に、あらかじめ家内の父より手まわししてもらって、皆美館でお会いした。

私はその時、会社の現況を説明し、地下資源開発は国の基幹産業であるので、政府にはもっと直接的にも間接的にも援助してほしいという論法で、政府系金融機関からの融資を受ける力添えをお願いした。

それ以来、亡くなるまでの長い間、こちらの勝手な願いごとや、逆に先方からの呼び出しなど、数えきれぬほどお会いする機会があったが、特に渋谷南平台から御殿場に移られた後からは、しばしば迎えの車に乗ってうかがい、一日中、美術の話をしたものである。

ある日、蔵にある美術品を整理整頓するというので、長男をともなってお邪魔した。ちょうどその時、先生は写経の最中であった。私はそのみごとなできばえに、つい「一枚下さい」とねだったところ、かたわらにいた中村長芳氏が、「先生はめったに人にはやらない。いままでにもらった人は福田赳夫さんなど二、三人位だから、いくらあんたでも無理だ」という。なるほど、ものが写経だけに私もあきらめた。

この写経については、元衆議院議長の原健三郎さんが日本経済新聞の「私の履歴書」の中で、「岸信介元総理は奥様を亡くされて以来、写経を始められ、正式な紺地の紙に金泥の写経を千巻も浄写され、高野山に奉納されたという」と書かれていて、それは私も承知していた。

その日も蔵の中から品物を一点ずつ出しながら、座敷の絨毯の上にあぐらをかき、掛物や陶磁を前にして車座になって話し合い、楽しい一日を過ごした。いざおいとまという時、玄関に見送りに来られた先生は紙筒を二つ渡され、これを息子さんと一つずつといわれた。中にはその写経が入っていた。

御殿場の邸にうかがって一番印象深かったのは、あの広い家にお手伝いと外働きの男の人だけで生活し、まったく無防備であったにもかかわらず、何の事故もなかったことである。安保

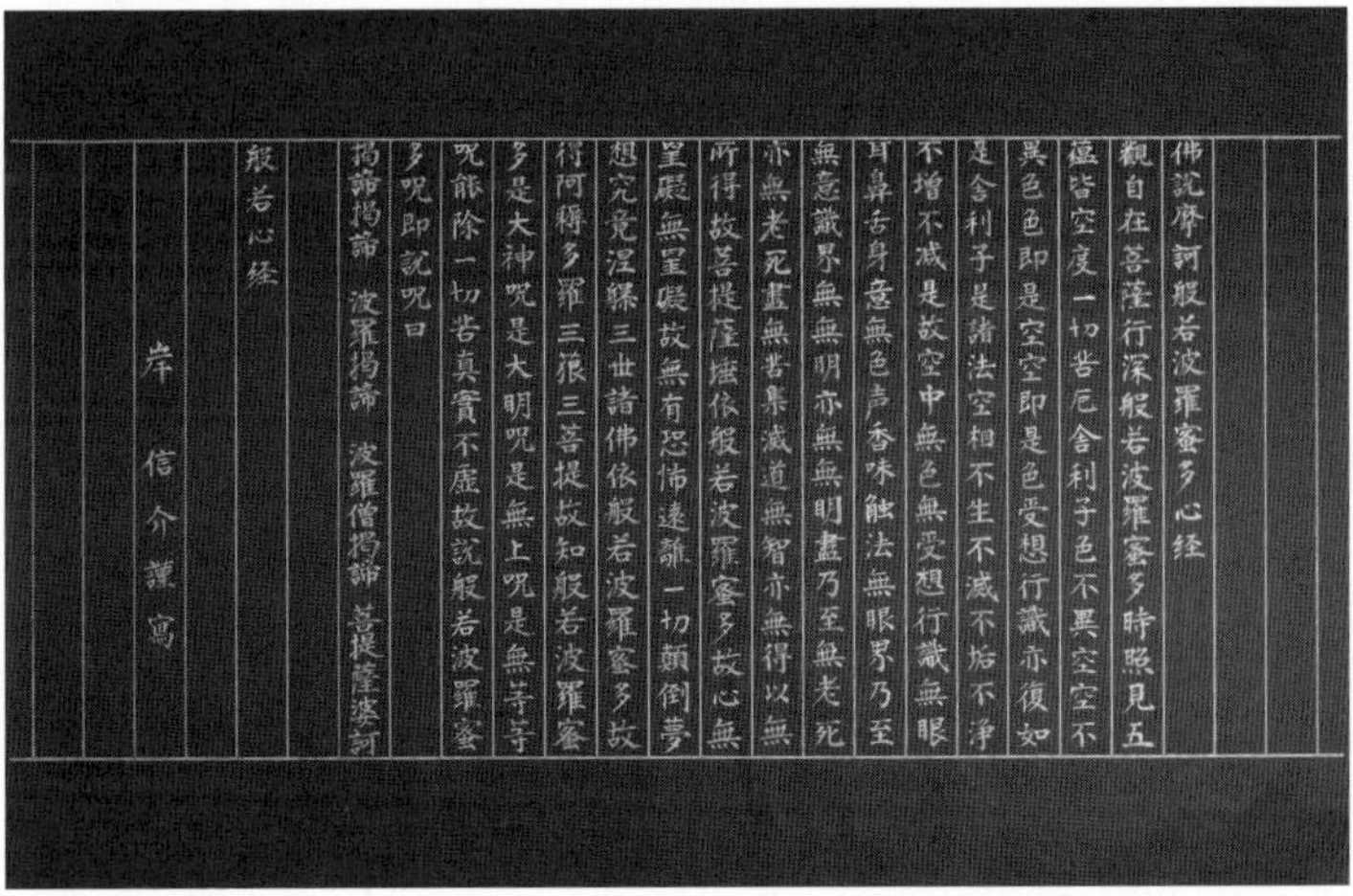
佛説摩訶般若波羅蜜多心経
観自在菩薩行深般若波羅蜜多時照見五
蘊皆空度一切苦厄舎利子色不異空空不
異色色即是空空即是色受想行識亦復如
是舎利子是諸法空相不生不滅不垢不浄
不増不減是故空中無色無受想行識無眼
耳鼻舌身意無色声香味触法無眼界乃至
無意識界無無明亦無無明盡乃至無老死
亦無老死盡無苦集滅道無智亦無得以無
所得故菩提薩埵依般若波羅蜜多故心無
罣礙無罣礙故無有恐怖遠離一切顛倒夢
想究竟涅槃三世諸佛依般若波羅蜜多故
得阿耨多羅三藐三菩提故知般若波羅蜜
多是大神呪是大明呪是無上呪是無等等
呪能除一切苦真實不虚故説般若波羅蜜
多呪即説呪曰
掲諦掲諦　波羅掲諦　波羅僧掲諦　菩提薩婆訶
般若心経
岸　信介謹寫

岸信介元総理の写経文

騒動の時の、国会を取り巻くデモにゆれたすさまじい退陣要求。当時は、それこそ生命の危険がすぐ隣にあったし、現に右翼に刺されたこともあった。ただし、いったん現職を離れ引退すると、まったく無防備の状況にありながら、安全で何事も起こらない。これが日本という国のよいところであり、平和のありがたさだと、訪れるたびごとに感じたものである。

先生は美術が大変好きで、また造詣も深く、絵でも陶磁器でも積極的に買っておられた。そして事前に私に相談があったので、日本陶磁器の時は下條啓一氏、中国・朝鮮陶磁器の場合は壺中居の笹津悦也氏と、それぞれの道のエキスパートを同伴してアドバイスした。玄関脇の部屋には先生の干支にちなんで橋本関雪のできのよい「猿猴図《えんこうず》」が掛かっていたし、洋画、日本画のコレクションは大変目筋がよかった。

何かよい展覧会があってお知らせすると気軽に出かけられたし、私が日本浮世絵商協同組合を結成し、その理事長に就任した時も、必要ならいつでも会長になってあげるともいってくださった。フランスのド・ゴール元大統領も浮世絵をずいぶん持っていて自慢気に見せてくれたという話や、外国の元首たちの隠れた逸話をいろいろと聞かせてもらったものである。

御殿場の邸にうかがった時は、食事はたいてい仕出しの弁当か寿司で、浦上君が来るとうまいものが食べられて楽しいと笑っておられた。日常は健康管理上、非常に質素な生活であったようだ。また美術のよもやま話をする間、かかってくる電話もなく、たまにお嬢さん（安倍晋太郎氏夫人）からの健康を気遣う問い合わせくらいで、政・財界とはまったく無関係のように見えた。

ある時、小山敬三画伯の描いた先生の肖像画を見せてもらったことがある。美術を語るときは世俗を抜けた、おだやかな表情であったが、それは総理時代の、国家一〇〇年の大計に基づき己の信念は断固貫く気概に満ちた、きびしい政治家の顔であった。

旧細川コレクション回想

昭和四十六年（一九七一）二月、壺中居の廣田熙社長（故人）から細川護熙氏を紹介された。廣田氏は古美術界のドンとして、その幅広い交遊には定評があり、細川家とも古くから浅からぬ縁があった。護熙氏が次回の参議院選挙に全国区から出る意志のあること、そして自民党の公認を得たいので、岸信介先生に頼んで尽力してもらえないかという依頼であった。

早速、連絡をとり、日石ビル内の岸事務所に細川氏と同伴し、お願いしたところ、さすがに由緒ある家柄ゆえ機嫌よく応対し、ただちに了解してもらった。私も細川家とはまんざら無縁でもなかった。私が東京国立博物館に寄託していた北宋時代の定窯白磁合子《ていようはくじごうす》や唐時代の藍三彩《らんさんさい》小水注《しょうすいちゅう》も旧細川コレクションのものだった。

細川氏は上智大学出身で、それまで朝日新聞の記者をつとめていた、まことにスマートな好青年であり、当時はまだ独身であった。以後気やすく交際し、銀座の私の事務所をしばしば訪れては雑談をしていった。その後の参議院選挙では、細川氏は楽々と上位当選し、情熱に燃える若い政治家の誕生をお互い喜んだ。

その後、品川の三菱関東閣で行なわれた彼の結婚披露宴に出席した時、故田中角栄氏が独りにぎやかで、細川氏が既に田中派に属したことを知り、橋渡ししてもらった岸先生に何か済まぬ気がした。

彼は間もなく大蔵政務次官となり、その祝賀パーティーでは、当時の永野日商会頭はじめ財界の大物すべて、それに田中派の竹下登氏を含む各大臣、大蔵大臣であった故大平正芳氏などそうそうたる顔ぶれで、既に細川氏が一人前の政治家になったことを実感した。

細川氏は、自民党副幹事長を最後にいったんは国政を退き、熊本県知事となって、「地方の

旧細川コレクションより。筆者が大変気に入っているもの
上　唐　藍三彩小水注
山口県立萩美術館・浦上記念館蔵
下　北宋　定窯白磁合子
同上

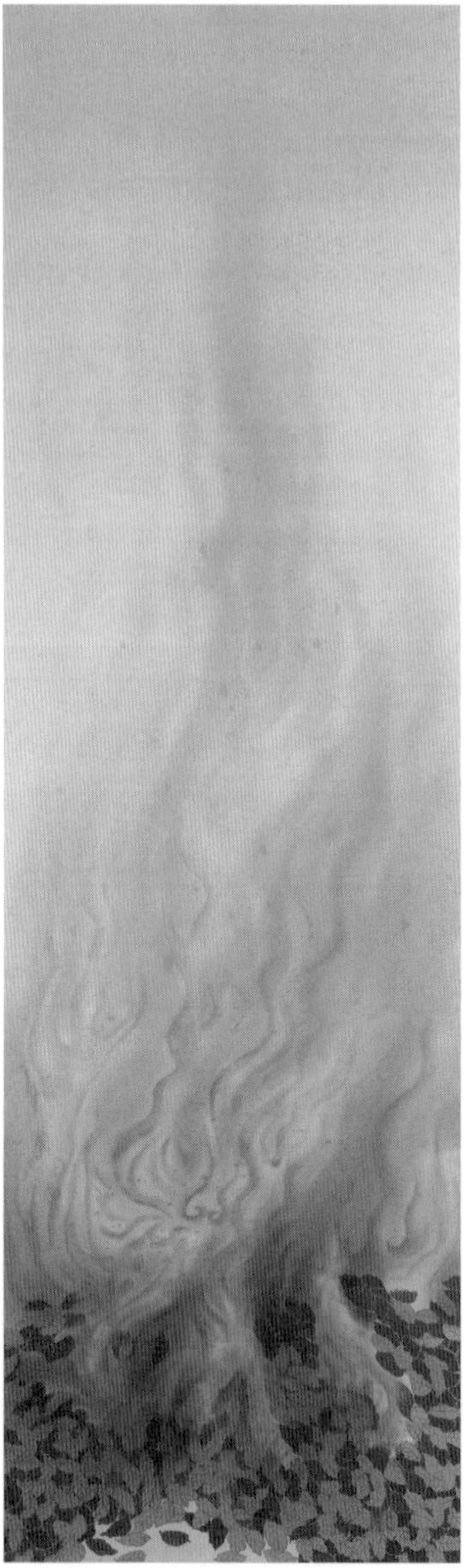

横山大観「焚火」1915年
絹本彩色　軸装　3幅対より中央幅
旧細川コレクション。熊本県立美術館蔵

時代」の旗頭として敏腕をふるった。その後、再び国政に復帰し、「日本新党」を結成、ついに総理大臣にまでなったことは周知の通りである。

細川氏が熊本県知事であった頃に、細川家所蔵美術品の中から数々の名品が熊本県立美術館に寄贈された。むろん、細川知事のおかげである。熊本県民にとってすばらしい贈り物になったことはいうまでもない。

故郷・山口と香月泰男

安倍晋太郎氏が逝った。

私と安倍氏とは、彼がはじめて代議士に出馬した時からのお付き合いである。最後に会ったのは平成二年（一九九〇）の六月、母校の同窓会で講演をしてもらうよう頼んだ時である。

当時は病やつれで、痛々しいほど痩せていたが、当初の二〇分の予定を四〇分も話してもらった。そして「人々はもう安倍は再起不能といっているようだが、癌ではなく健康状態も回復に向かっているし、絶対大丈夫だから安心してくれ。ソ連に対する交渉をはじめ、やるべきことが山積みなので簡単には死ねない」といっていた。しかし翌年二月、吹田自治大臣のお子さんの結婚式に仲人を引き受けていながら出席できず、相当重症だとは想像していたが、これほど早く別れが来るとは思ってもみなかった。

小学生の時、講堂で彼のお父上の安倍寛代議士の講演を聞いた記憶、小中学校時代の私の親友と彼とがいとこで、子供の頃一緒に遊んだこと。成人してからは岸信介元総理夫人や中村長芳夫人とともに、彼の選挙区である山口一区を選挙の応援でまわったこと、御殿場の岸邸でたびたび一緒になった娘婿としての安倍氏の様子、また代議士一年生の頃、当時銀座にあった大昌園で何度か食事をともにしたこと等々が走馬灯のように頭をよぎる。別れは人の世のつねとはいうものの、つらいことである。

父母の夢に故郷を思う

最近同じ夢をよく見るのも、いろいろなつらい別れを経験したからだろうか。そういえば、けさも見た。

私の生まれ故郷の山口県萩市の家に、父と母が住んでいる。考えてみると、もう本当に長い間故郷の萩に帰っていない。元気に暮らしているだろうか。一度この眼で確かめねばならない。帰ったらさぞ喜ぶであろう。土産には何を持って帰ろうか。そう思いながらバスや汽車に乗ろうとするが、どうしても乗れない。必ず何か障害が起こり、たいていは乗り遅れるのである。

いろいろな障害を突破してやっと駅の間近まで来ると、汽車は一瞬早く発車してしまう。ああ、今日もついに行けなかった、とがっかりして目が覚める。

母が死んで五十三年、父が死んで三十八年になる。死んで久しい父母がこの世にいるわけがない。夢であっても、汽車に間に合って萩の家にたどり着き、父母に会ったとしたなら、これは彼岸に行き、自分も死んだ時であろう。どうしてもたどり着けないのは、まだ死なずにすんでいる実証かもしれないと慰めている。

父母のしきりに恋し雉の声　芭蕉

山口県の萩には領主毛利家の菩提寺が二ヵ所ある。三代、五代という奇数の藩主が祭られている東光寺と、初代そして二代、四代という偶数の大照院である。東光寺は観光ルートに組み入れられて賑やかであるが、大照院はひっそりとして訪れる人も稀である。

昔、私が中学生の頃、きもだめしの目的で時々一人で大照院を訪れた。誰一人いない広大な境内で聞こえるのは虫と蟬の声だけ。石段にじっと座っていると、地の精、木の精に周りを囲まれて、まさに四次元の世界にいざなわれる奇妙な恐ろしさがあった。一時間も座っていると体中がブルブルと震えるような、頭が締めつけられて痺れるような、魑魅魍魎の世界とはまた

大照院の墓所

違う、別の魂の感覚を経験したものだ。

夢のことが気になっていたことも手伝って、先日この境地の再現を期待し、この大照院を訪ねてみた。やはり敷地には誰もいず、毛利家累代の立派な墓と、虫の音が昔のままだった。

しかし、なぜか昔の心境にはなれなかった。少年の頃とくらべて心が純粋でなくなったのかもしれない。少々思惑が外れた失望感があった。森羅万象すべてが自分の心の動きと感応するのであれば、やはりいまの私は既に都会の空気に染まりすぎたのであろうか。

山口県立美術館

山口が故郷という関係もあって、山口県立美術館の開館以来お手伝いをしてきてもう十七年にもなる。美術館の運営の成否は学芸員の資質にあるといわれている。いたずらに流行を追わず、着実に将来を見すえた発想を持たねばならない。また、優秀な学芸員の存在はもちろんであるが、彼らの能力を十分に発揮させる管理職の力量も必要である。この点では、山口県立美術館は理想的に運営されてきた。

私もこの美術館の企画展に「浮世絵の美」「中国陶磁二〇〇〇年の美」「浮世絵歌川派三巨

匠」と三回参加したが、それぞれ抜群の入場者があった。また、平成三年（一九九一）に開催された「大英博物館展」では、何と二十六万人もの入場者があり、カタログも五万冊売れたそうである。山口市の人口は十二万人であるから、多くは他都市、他県からということになる。これだけの観客動員は全国でも稀なことで、美術館関係者の平常の努力の成果であろう。

山口県立美術館には香月泰男のシベリア・シリーズが五十六点ある。このシリーズは全部で五十七点あり、あと一点で全部揃う。しかしこの一点はある大企業が所有していて、よほどのことがない限り入手は不可能と思われる。

当初この美術館の開設準備の際に、香月の遺族が作品の寄付を申し出て、美術館は香月泰男の部屋をつくってこれに応えた。昭和五十四年（一九七九）に開館し、それから一〇年かかって五十六点を集め、残り一点となったわけである（寄託を含む）。

香月泰男のシベリア・シリーズ

香月泰男のシベリア・シリーズは彼の名を今日一流にした記念すべき作品群である。

敗戦後、数年間の飢えと重労働のシベリア抑留生活、そしてその間、精神と肉体の苦しみの極限を体験した。やっと生き延びて昭和二十四年（一九四九）に帰国したが、その後の彼の生涯の中で、この数年間がいかに心の奥深く突き刺さっていたかは想像に難くない。そしてすぐ描きはじめたのがこのシリーズである。しかし、昭和三十四年（一九五九）までの一〇年間の作品は、わずか五点であった。

この一〇年で、彼はシベリアの記憶を反芻し、試行錯誤をくりかえし、歳月の流れに濾過されたものを、気負いなく次々と描き出した。そして、独りよがりでない普遍性をもって人々に感銘を与えているのである。皮肉なことに、他人を意識せずに描いたこのシリーズが、かえって他人の心をうつ結果となり、彼は第一級の作家の地位を確立した。

彼の絵は中国の宋、元時代の水墨画をしのばせ、東洋的要素に満ちている。しかしその一方で、一九五六、五七年とヨーロッパに行き、ロマネスクやゴシック、初期ルネッサンスの芸術に強く惹かれた。彼自身、次のようにいっている。

あの時ヨーロッパに行かなかったら、おそらく私はまだ自分の顔を発見していなかったかも知れない。そしてシベリア・シリーズも、今あるような姿にはならなかっただろう。

なるほど作品「涅槃」は中世絵画のキリストのデスマスクを思わせる。

忘却こそ、神が人間に与えてくれた最大の贈り物である。年月とともになおいっそう深く、抑留生活の労苦が彼の心に刻み込まれているとはいえ、同時にほかの自然に心を向ける余裕も出てきた。後年の「花」や「母子シリーズ」はその一面を描いた絵である。

生前、銀座のフォルム画廊で香月に会った時、「いまの私の絵はシベリア・シリーズの後の糞のようなものですよ」と自嘲していたが、絵を買う者にとっては糞の絵を買わされてはたまらないから、あまり人前ではいわない方がよろしかろうと話したこともあった。彼としては何を描いても、その記憶があのシベリアに帰った時、すべて甘いものに見えたのかもしれない。

しかし人間は、苦痛のみの記憶を抱いて生きてはいけない。彼には温かく迎えた家族があった。素朴な住民がいた。彼の息子に接する態度は傍らで見ていても普通の親と同じ、いやそれ以上の溺愛ぶりであった。

初期の彼は、ほかの大勢の画家と比較しても、出色の新進作家であったということに誰も異論はなかろう。しかし、やはりどこか他人を意識し気取った、また気負ったところがあったとしても、ほとんどの作家がこれを脱却できないことを考え合わせれば、責めるわけにはいかない。しかしこのシベリア・シリーズを見る時、その深い心象表現は、無条件に見る者に固唾をのませる。このシリーズで脱皮した彼の絵は、その後、他の物象を描いても昔の彼の絵ではなかった。

私はいまでも、シベリア・シリーズを見ると、条件反射のように胸が痛む。私自身も軍隊の苦しい、悲しい経験があるためであろうか。

初年兵哀歌

浜田知明《ちめい》の代表作「初年兵哀歌」には、彼の軍隊生活の屈辱の経験が描かれている。「初年兵」または「新兵」とは、兵士が軍隊に入隊してから一年間のことで、軍隊の不条理と矛盾と人格無視を一身に受け、一切の批判や弁明の許されない哀れな身の上である。彼は画集の中で次のように記している。

眼に見えぬ、鉄格子の中で、来る日も、来る日も、太陽の昇らない毎日であった。
現代に持ちこまれた中世の暗黒、
白日の下に展開される地獄図は、
感情を捨てた、純粋な、画家の眼から眺めれば、ボッシュが描き、ボードレールが歌いあげた、詩の世界にも似て、凄まじくもまた美しい光景であった。

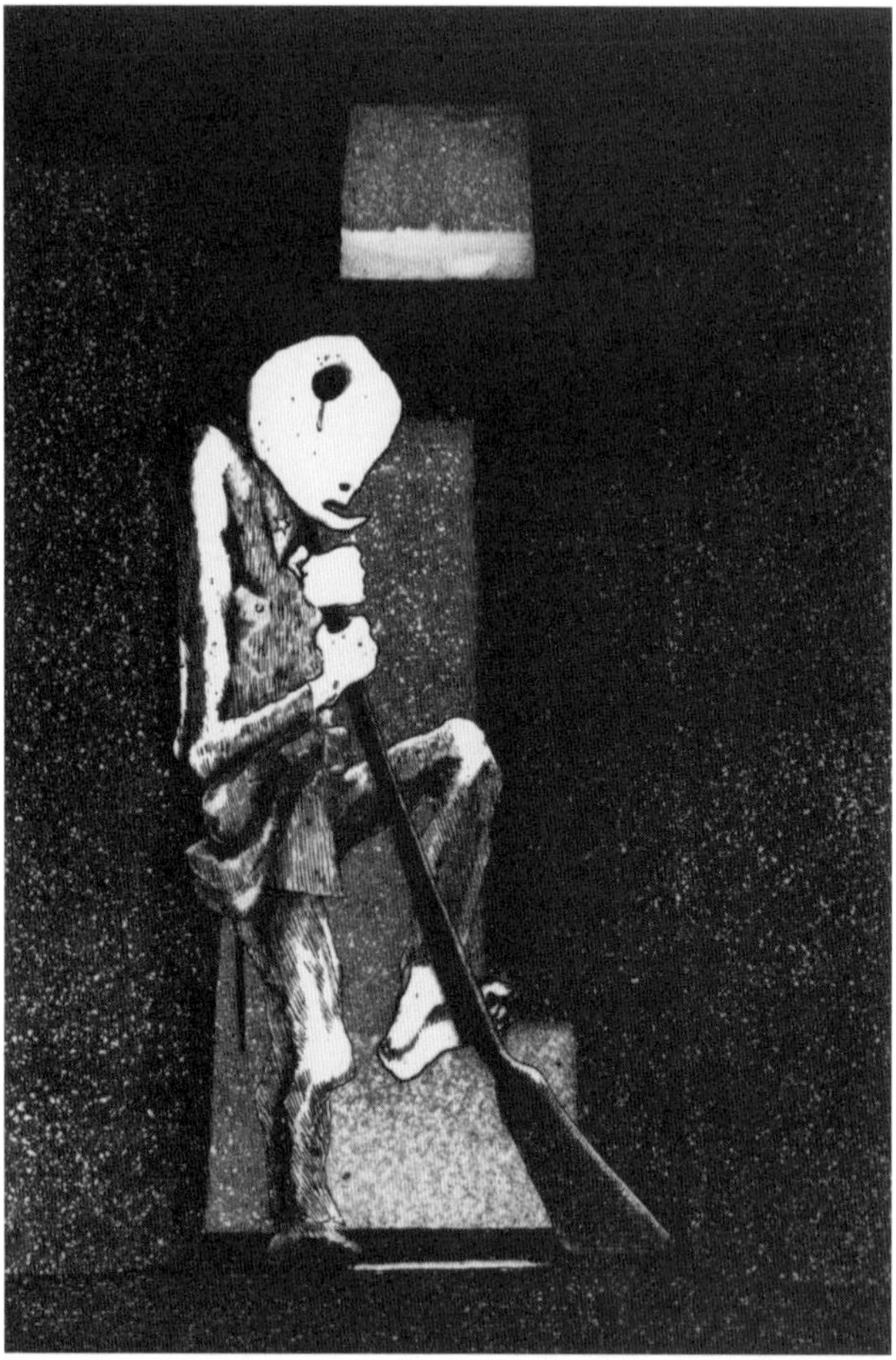

浜田知明「初年兵哀歌」(歩哨) 1954年

熊本県立美術館蔵

かつて私は、日本国民である以上、この国のすばらしい文化や親しい愛すべき人々を守るため、自分のたった一つの命さえ失うことも一度は覚悟した。しかし、このような純粋な心はたちまちに打ち砕かれてしまった。同様に、大岡昇平はじめ多くの作家や画家たちも、旧日本軍隊の不条理を鮮明にいいあらわしている。

赤紙

昭和二十年（一九四五）一月、当時私は学徒勤労動員で神戸製鋼長府工場のジュラルミン溶解炉工場で働いていた。その日も重労働の作業を終え、疲れ果てて宿舎に帰ると、入営通知の赤紙が待っていた（召集令状のことを当時「赤紙」といっていた）。本籍が京都にあるので、まわりまわって手元に着くまでずいぶん日時が経過し、入営の期日までいくばくの日もなかった。

ついに来るべきものが来た。その日は既に汽車の便もなく、友人たちと心ばかりの別れの宴をはった。既に何人か応召で別れてゆき、残った者たちも、もうすぐ自分の番という諦めに似た覚悟はできていた。父の手配で、当時一世を風靡していた大横綱双葉山から今日のために、後に横綱になる羽黒山や前田山ら、主だった力士の署名入りの日の丸の旗が届いていたので、これに友人が寄せ書きを加えた。誰かがまた元気で会おうといったが、何か空虚で再会を信じている者は誰もいないようだった。

翌朝早く萩に帰った。父は「千人針と千人力を手配してある。今日中には届くだろう」と静かにいった。妻と長男を相次いで失い、ただ一人残った私をいまここに、国家のためという大義名分の下、自分の意志の届かないところに見送らねばならない父の心情を思い、暗然たる気持ちであった。

家にはもう一つ、特別甲種幹部候補生の試験の案内が届いていた。これは合格すると士官学校に入り、すぐ将校になれるという学徒に与えられた恩恵である。試験は入営の指定命令日と同じ日に山口の連隊で行なわれるという案内であった。父がいろいろ調べてくれ、ちょうど山口地区司令官が遠い親戚の木島少将であったので電話で相談した。遅参入営証明書を発行してあげるから、とにかくこの特甲幹の試験を受けるようにとのことであった。

特甲幹の試験を済ませ、遅参入営証明書を持って、その足で入営地である四国の伊予三島目指して出発した。何とも重苦しい心細い気持ちであったが、当時はやはりお国のためなら仕方がないという諦めの心が強かった。

横綱双葉山らの寄せ書き

鉄拳の洗礼

連絡船に乗って四国に上陸し、山口地区司令官の遅参証明書を見せて入隊手続きをした。私服と引き換えに軍服が支給された。陸軍船舶兵暁部隊である。早速班長と上等兵とで荷物調べが行なわれ、大学ノート、万年筆、シャープペンシル、腕時計は新兵には用がないとして没収された。父が荷物の中に入れてくれた煎豆と落花生の缶を見つけて、遠足ではないぞと大笑いしながらポリポリと食べはじめた。

夕方の点呼終了後、分隊全員整列させられ、班長以下古兵が「今から軍隊というものを貴様たちに教えてやる」といって、一人ひとりに数個の鉄拳がふるわれた。班長はすばらしい偉軀の持ち主で、彼に一発見舞われると例外なくブッ倒れた。その日、私だけは「本日到着したばかりだから見学せよ。豆も食べさせてもらったことだし」と一人隅で息を呑んで見学していたが、同僚の手前一緒に扱ってくれた方がよほど気が楽なのにと引目を感じたものだ。

翌夕、再び同様のことがくりかえされた。今度は私も例外ではない。班長の一発の洗礼を受けた途端、気がついた時は部屋の端にひっくりかえっていた。一番だらしがないぞと、もう一度張り倒された。後に古兵から、殴られる時は両股を拡げ、歯を食いしばるのだと教えてもらった。その日から連日、実に狂気としかいいようのない訓練が行なわれ、話に聞いた昔の地獄飯場、タコ部屋もかくやというあり様がくりひろげられたのである。

班長はたぶんにサディズムの傾向があったのだろう。夜半過ぎ、きわめて低い声で「起きろ」という。ガバッと飛び起き、正装して寝台の前に立つ。遅れた者は容赦なく心ゆくまで殴りつけられた。しかも、たいていは手を使わず、編上靴や皮のスリッパで殴り、制裁を受けた者は血だらけとなった。

ちょっとしたミスがあると、全員後向きに尻を出して並び、古兵全員が木銃で尻を殴る。これはいつも最少一本は木銃が折れるという凄まじいもので、その後は翌日便所でしゃがむことさえできないほどひどい状態であった。

不条理な別世界

一週間に一度あるアンポロと呼ばれる饅頭の支給が一番の楽しみである。ただしいつの間にか、これも班長やその腹心の間で処分され、私たちの口には入らなくなった。誰がいいだしたのか、班長にはこの町に妾がいて、そこへ持っていくのだという噂が流れた。

私はどういうわけか班長に目をかけられた。というより、すぐ将校になるという先入観があったのかもしれない。まず手紙の代筆である。なるほど、妾かどうか知らぬが愛人はいた。体刑のはじまる前に、何か用事をつくって私を公用外出させた。したがって、連日行なわれる体刑も普通一般の受ける回数の三分の一位であったと思う。また「軍人に賜りたる勅諭」の暗記朗読はスラスラできたので、この分の体刑も免れた。どうしても覚えきれない何人かは凄まじい体罰の連続であった。私は休み時間中、「勅諭」を彼らにくりかえし嚙んで含めるように教えることが日課であった。もちろんその当時も、過酷な体罰は士気に影響するとして正式には禁止されていたので、体罰の時はバケツに水を入れて手袋をこの中にひたして、音の出ないようにして殴打していた。

同期の初年兵は最初から特攻隊要員として編成されていたようで、全員が甲種合格者ばかり、刺青をしているおにいさんも七、八名いた。当時の徴兵で一番体格のよいのが甲種、次に第一乙・第二乙と続き、丙と下がる。丁は不合格である。出身地は京都、大阪、和歌山が多かった。

中でも一際目立つ刺青をした大きな男はきわめて狂暴で、やることなすこと、常軌を逸していた。もう一人古兵がいるようなものだった。平気で人の食事をとって食べる。その日も私のとなりの初年兵の飯をあっという間に食べてしまった。「誰でも腹がへるのは同じだ、人のものを食べるな」と注意すると私にからんできた。言葉のやりとりのうち、「やるか」「よしこい」ということになってしまった。

これを聞きつけた古兵たちが喜んで、「さあやれ、さあやれ、兵隊同士の喧嘩は重営倉行きだから、やるからには死ぬまでやれ」とサッと場をつくった。私は瞬間、父がいつもいっていた「世の中にはお前より強い男は山ほどいる。喧嘩はするな」という言葉がよぎったが、もうこうなっては後には引けない。さあ来いと身構えたが、相手は上官等大勢の見物人に気おされたのか、あるいは人の飯をとったという恥ずかしさのためか、とうとうかかってこなかった。「何だ、この馬鹿め」と、古兵たちはちょっとした見世物が実現されなかったことに舌打ちをして散っていった。いままで彼の横暴を憎んでいた初年兵たちは溜飲を下げたに違いない。その後、彼らは私を大事にしてくれた。信じられないことに、洗濯や靴の手入れなど雑用はみなやってくれた。

初年兵は交代で古兵の靴の手入れをしなければならない。私の当番の日のことであった。例によって同僚の初年兵が代行してくれた。その後、いつものように古兵が意地悪く靴をとりあげて、あら探しをはじめた。砂粒が二、三ついている。「誰が手入れした」。人がやったとはいえない。「ハイ、自分であります」。こういう場合、その古兵たちは血反吐の出るまで殴りつけることで有名であったが、私の顔を見て何だお前かと、ちょっと落胆したような表情をした。しかし「お靴様どうもすみません。私の手入れが悪く申し訳ありませんといって靴の底をなめろ」という。

入隊して以後、私が一番先に悟ったのは、軍隊では「自分」というものを一切捨てて、自尊心とか、見栄とか、体裁とか、世間で問題になることを一切忘れることであった。ここは別世界なのだ、殴られても蹴られても、これは肉体だけの問題で、精神的には何の痛手も受けないのだ、と思い込むことだった。したがって私は、何の抵抗感もなく靴の底がなめられた。

蟬とか、鶯の谷渡りとか、さまざまな責め道具には事欠かなかった。蟬とは、内務班の梁の上につかまって、蟬のようにとまっていると、古兵が下から木銃でつつき落とすのである。そして、手を離して下まで落ちる間に、「ミンミン」と蟬の鳴き声を出さねばならない。

鶯の谷渡りとは、寝台の下を潜って、次の寝台の上にかけあがり、「ホーホケキョ」と鳴いてまた寝台を潜ることを際限なくくりかえすのである。これが遊びの余興であれば面白おかしいであろうが、体罰の一つとしてやらされる時は、その所作が滑稽であればあるほど、悲劇的であった。ゲラゲラ笑うのは古兵だけで、初年兵はみな悲しく目を伏せた。

絶望の集団

初年兵はもうクタクタで、死んでもいいからと脱走の機を狙う者もあった。幸い私服はまだ手元にあったが、誰も実行した者はいなかった。頭の中は既に真空状態で、生や死は、もはや問題外のこととなっていた。死が恐ろしいと思う者は一人もなく、むしろ一日も早く死ぬことでこの生地獄を脱出したいとさえ洩らしていた。なるほどこれは、特攻隊要員としての最も手っとり早い効果的な訓練法であったのかもしれない。

最悪だったのは、外地転出の用意のために、チフス、コレラ、赤痢、ペストの予防注射を一緒に四種混合として胸にうった時である。この注射の後は中隊長命令で「練兵休」として、練習・訓練を休み一同就寝許可となっていた。ほかの班はみな静かに就寝し、笑い声さえしているのに、わが班のみは通常通りの猛訓練を行なった。その辛さに、私はこの時、こいつらに殺されると思った。班長以下古兵は以前に済ませていて、注射は初年兵だけであった。その夕方の点呼の際、それこそ枯木を倒すごとく、ほとんど全員倒れてしまった。中隊長は貴様訓練をしたなと班長を激しく叱りつけ、ただちに寝かせろと命令した。分隊に引きあげても、みなまだフラフラである。しかし班長の目は血走り、貴様たちのような虫けらがよくも俺に恥をかかせたなと、再び全員整列させ、鉄拳の雨を降らせた。

サディズムの定義に「屈従を強いる対象は、まず無力なる子どもや女性に向けられる。加虐者たちは、無力なものに力を振るうことで、自分をうじ虫と感じている状態から解放されようとする」とある。古兵たちは何か事があると、「お前たちは消耗品だ。虫けらと同然だ。俺たちは外地で敵の首をいくつもとってきたのだ。お前たちを殺しても、せいぜい戦死か、戦病死の通知が留守宅の家族に届くだけだ」とおどかしていた。当時はこの言葉が真実として通用する雰囲気を持っていた。そして、「一日も早く貴様たちを国のために役立つ一人前にするための愛のしごきだ」と見えすいたことをいうのがつねであった。

一体自分は何をするために軍隊に入ったのだろう。国のために、そして愛する同胞を守るために死ぬという大義名分があるにしても、これではあまりにひどすぎる。鍛えるにしてもこれでは憎しみが残るだけだ。日本人はこれほどまでに残酷な人種であったろうか。一切自己の主張の通らない世界、自分の思うようには何一つならない世界が、この世に存在することを痛いほど思い知らされた。

人間には相性というものがあるらしい。ある日、一等兵に敬礼が悪いといって呼び止められた。そして革のスリッパで両ほほを往復何べんも殴られた。別に鼻にあたったわけでもないのに鼻血が溢れた。その後も二、三回、この男に体罰を加えられたことがある。この男にたたかれると、不思議に平常心を保つことができなかった。この軍隊生活の間に受けた無数の体罰の中で、感情が動いたのは、この時だけである。この時ばかりは、同僚の初年兵たちがいつもいっていた「戦場に出かけたら一番先に殺すのは敵ではなく、古兵どもだ。あいつらだけは間違いなく殺してやる」という言葉を思い出していた。

死の諦念

ある日、中隊長に呼ばれた。初年兵が直接中隊長にものをいうことは禁止されていた。しかし、中隊長は長崎高商の出身で、入隊当初私が山口高商出身であることを知り、中隊長室に呼び煙草や菓子をすすめてくれ、なつかしそうにその後の世間の移り変わりを聞いた。班に帰ると班長や古兵がよって来て「何を話した。俺たちのことを話さなかっただろうな」と詰問した。第二回目の呼び出しの時、班長や古兵たちが不安げに見送った。私は中隊長に「班の者たちが特別な眼で見るので、あまり来たくありません」といった。中隊長も「それもそうだ。君ももうすぐ将校になるのだから、しばらく我慢しなさい」といって別れた。

そしてこの呼び出しは三回目であった。中隊長は「実はお前の特別甲種幹部候補生の合格通知が来た。しかしこの中隊は特攻隊であり、もうすぐ出陣と決定している。したがって、お前をこの隊から外して予備士官学校に入れるわけにはいかないのだ。いずれもうすぐみな死ぬのだから、一兵卒で死ぬも将校で死ぬも、国のために尽くすことは同じである」といった。私は不思議と冷静にこれを受け止めた。そして「ああもうすぐ死ぬのだなあ、仕方のないことだなあ」と一種の諦観に支配されていた。

物資輸送用の小型潜水艦「丸ユ」の適性検査が行なわれた。不適格者は「丸レ」乗船にまわすことになった。「丸レ」は爆薬を積んで敵艦に体当たりする、ベニヤ板でつくった六メートルの人間爆弾である。これはフィリピンのレイテ湾作戦に大変戦果があったと聞いた。「丸レ」

に転属されるとすぐに出撃ということになり、死期は早いが、私はあの「丸ユ」の狭い密室の中で海に沈むのが何としても厭で、むしろ人間爆弾で一気に死ぬほうが楽だと思い「丸レ」転属を希望した。

「丸レ」に転属が決まってはじめて葉書を渡された。留守宅に葉書を書くことを許可する、これが最後であるのでお前たちの遺書ということになる、ただし絶対に自分の配属とか軍機にふれることは書くな、という話であった。転属とは死に行くことである。私は父宛に心を込めて、しかし心配をかけないよう心遣いして書き終えた（だが、この葉書もついに父の手元には届かなかった）。

町に訓練に出かけた時、ブラブラ歩いている学生を見かけた。たった数ヵ月前の自分の姿である。その時だけ遠く別れた友人をしのび、人間の運、不運というものについて痛烈に考え、自分がこのまま死んでいくことにたまらない無念の気持ちが湧いてきて、涙が溢れた。

敗戦前後

昭和二十年八月六日、はるか対岸に一瞬目を奪う閃光とともに何か異様な出来事が起こったのはおぼろげながら感じたが、これが原子爆弾だとは知る由《よし》もなかった。もちろんソ連の参戦、関東軍の大敗等、ついに知らずじまい。新聞も雑誌も士気に影響するという理由で一度も読めなかった。

広島の閃光後、転属命令が出て「丸レ」配属隊は連絡船に乗り、本土に渡った。広島を行軍したのは原爆投下の二日後で、町には死体が累々とし、瓦礫の山が拡がり、何ともいいようのない悪臭が立ちこめていた。死体処理をすれば缶詰が特配されるといわれたが、さすがに希望者はいなかった。そしてお前たちの出陣は八月十五日だと知らされた。

八月十五日、私たちは完全武装して船着場の岸壁に整列して指示を待った。海上よりランチが接岸して船舶司令官が到着し、「本日天皇の勅語《みことのり》により戦争は一時中止となった。何とも無念であるが、諸君は次の指示のあるまで、ここでしばらく待て」と涙ながらに演説した。私は一瞬日本は負けたなと直感した。これからどうなるのだろう。死を決意し、私の心から既に抹殺していた「将来」という文字が忽然として再びあらわれ、非常にとまどった感情が走った。

それからの海田市での生活は、いろいろなデマが飛びかう不安な毎日だったが、日がたつに従い、おぼろげながら日本の敗戦が知れ渡ってきた。

九月も半ばを過ぎた頃、あと一〇日もすれば除隊、帰郷ができるという噂が拡まり、これを証明するように倉庫にある在庫の毛布や衣服、靴等の配給がはじまった。将校、下士官、古兵、そして新兵と、位と格によっておのおの配分がきまり、私たち初年兵にも新品の毛布や、シャツ、袴下《こした》等の下着、靴等の割当があった。

下士官、古兵は私たちの数倍もの配給があったが、なお自分たちの使い古したものを、初年兵に配られた新品と先を争って交換を強制していた。みなブツブツ陰で不平をいいながらも、なすがままにまかせた。さらに、初年兵がこんなにもらっては割が合わないとして、半分が没収された。

四国時代、私の世話を一切引き受けてくれた同年兵がやってきた。古兵が「自分の荷物が多すぎて一人では持ち切れない。お前と帰る方向が一緒だから、お前の荷物を捨て、俺の分を持って一緒に行け」といっていると訴えた。その古兵は誰だと聞くと、あの相性の悪い一等兵であった。俺が話してみるといって、その古兵を呼び出し、人目のない場所に連れ出した。「どうしてこんな無茶をするのか。お前はいつも国家のために殴るのだといっていたが、私欲も国家のためか」となじると、「初年兵のくせに生意気いうな。半殺しにするぞ」と殴りかかってきた。

席に帰って、同年兵に「もう荷物を捨てることはない。大丈夫だ」と告げた。しばらくして一等兵が血にまみれてヨタヨタと帰ってくるのが望見された。周囲の古兵たちがみな指さして私の方をとがめるような視線で見ていた。反逆罪である。このままでは済まない。とっさに私は覚悟した。初年兵をみな集めて「今後古兵のいうことは一切聞くな。まず取りかえられた新品を取り返せ。文句をいったら俺がいったといえ」と演説した。そして「戦争は終わったのだ。もう階級制度等なくなってしまって、みな平等なのだ」といい聞かせた。翌日から初年兵と古兵ははっきり区別された。はじめオドオドしていた初年兵も私を頼ってきた。作業の公平を主張し、使役も初年兵と古兵とで半々に分担することにした。

逃走、そして帰郷

ある夕方、将校室に飯を持っていった初年兵が息せき切って私に告げた。「お前を明日殺す。そして戦病死として届ける。初年兵に勝手な真似はさせない」といっていると。その時、前ににらみあったあの刺青のおにいさんが「お前逃げろ」と突然いった。そうだ、待って殺されるよりイチかバチか逃げてみるか。同年兵たちが大急ぎで握り飯の弁当をつくってくれた。逃走の警戒やカモフラージュ、いろいろな手順をみなでやってくれた。そして万一に備え、五人ほど私の荷物をかついで同行した。

駅に着くと運よく汽車が停車していた。人が溢れるほどの満員である。客車に乗る余地はない。やむなく石炭車によじ昇った。荷物を押し上げてくれて、みなはまた隊に帰っていった。私は「追う者の来ないうちに早く発車してくれ」と念じるばかりであった。

ノロノロの汽車は動いては止まり、萩駅に着いたのは明くる日の午後四時頃だった。何と丸一日かかったことになる。駅にはまだ兵隊が警備していた。とっさに襟の二等兵の階級章をもぎ取り、駅の窓口に荷物を一時預けにして外に出た。

我家の前に立った。これが果たして現実であろうか。父は放心したように私を見た。しばらく間をおいて涙を流した。無理もない、私の所属部隊は全滅と公表されていたそうだ。私は感傷的になるのをつとめて避け、ちょっと駅に荷物をとってくるから、といって久方ぶりに学生服に着替え、自転車に乗って駅に向かった。

第三章

コレクション寄贈

「なぜ大切なコレクションを寄贈する気持ちになったのですか」と、必ず不思議そうに聞かれる。自分自身で整理してみても、いろいろな思いや複雑な感情が入り交じってなかなかじょうずに説明できない。

それでも、いくつかのことが指摘できるように思う。第一には、少年時代に経験した最愛の母と兄の死とそれによる虚無感。さらに、第二次大戦で特攻隊に編入され、死に直面した時の覚悟等々……。それらをはじめさまざまな思いは、日頃は心の深みにあるが、年を重ね、ある年齢に達するとフト頭をもたげて、自分の人生について感ずる時がある。私も、今まで前進前進で、過去を振り返ることもなかったが、一体自分はこの世に生をうけて、こんなにも働いてきたが、それが何か人のためになったであろうかとくりかえし考えるようになった。

「受けた恩は石に刻め」

そんな折、寄贈の決定的な動機となったのは、昭和五十九年（一九八四）に病気で入院していた時に聞いた、ＮＨＫの早朝のラジオである。

その番組で、華岳大寿氏の「知恩」という話があった。その意味するところは、「与えた恩はすぐに忘れ、受けた御恩は石に刻め」というものであった。すなわち、あいつにはあれほど世話をしてやったのに、いまでは知らん顔をしているとか、あれほど目をかけたのにというような反対給付を求める浅ましい心を持たないことであり、逆に、人から受けた恩は決して忘れぬよう、石に刻む心で持ち続けよ、という内容である。

私は思った。人間は、何とたやすく人から受けた恩を忘れる生きものであろう。いや、人のことをいえた義理ではない。私が今日まで人並みに生きてこられたのも、みな周囲の人々のおかげである。私は多くの人々から大きな恩を受けていることをあらためて悟り、病床に身を横たえ心が素直になっているためか、この言葉がまさに干天の慈雨のごとく心にしみ込んで、胸が痛くなるほどの感動を覚えた。

退院後、出典を調べたところ、後漢の崔子玉座右銘のうち、

施人慎勿念　受施慎勿忘

曖々内含光　柔弱生之徒

すなわち「人に施しては慎んで念う勿れ。施を受けては慎んで忘れる勿れ……」というものであった。これは空海（弘法大師）が書いたと伝えられる雄勁自在、抜群の書が残っていて、かつて東京国立博物館で開催された「日本美術名品展」に出展されていた。

しかし人間というものは勝手なもので、やがて健康を回復し、通常の生活に戻ると、その時の感動も徐々に稀薄になってくる。だがそれ以後というものは、わが身を犠牲にして、ひたすら人のために尽くす人々、特にひそやかに目立たない努力を続けている人たちのことを新聞やテレビで知るたびに、非常に心がつき動かされるようになった。自分も何かしなければいけない、一体自分に何ができるのであろうかと真剣に考える日々が続いた。

その頃、全国に次々と計画されている各美術館から、私のコレクションをまとめて売ってほしいという申し入れが相次いでいた。それは魅力的な話であったけれど、売って金が入れば、またその金で美術品を購入するに違いない。その場合、当初のコレクションより質が落ちてく

るのは目に見えている。それよりも、せっかく系統的にまとまってきたコレクションを、そっくり寄付した方がよいのではなかろうかと考えるようになってきた。

また、三〇年も前から、外国人が日本を訪れても、浮世絵を見せる国立の美術館がないことに一様に不思議そうな顔をする。考えてみれば、東京国立博物館には浮世絵の「松方コレクション」が一万点近くありながら、小さな一部屋に申し訳程度に飾ってあるにすぎない。このことは、はっきりいえば、国が浮世絵の価値をまだ十分に認識していないということである。浮世絵の蒐集で有名であった故水田三喜男大蔵大臣に対しても、田中龍夫氏が文部大臣であった時にも陳情したが、結局国立の浮世絵美術館は実現しなかった。

人に頼っていても一歩も前進しない。ならば自分の手でまず一石を投じて、しかる後に公共の手で第一歩を踏み出してもらいたいという熱い思いもあった。しかし、寄贈するには家族の同意が必要である。私の長男は東京・日本橋で浦上蒼穹堂という古美術を扱う店を営んでいて、まずは生活に困るということはない。ある日、彼に私の気持ちを伝え、「寄贈したいが了解してくれるか」と尋ねると、彼は一瞬驚いた顔をしたが、「おやじが好きで集めたものだから、おやじの勝手にすればよい。自分に残してくれなくともよい」といってくれた。寄贈するものはすべて彼の商売で扱う品々である。じょうずに処すれば一、二代遊んで暮らせるだけの品揃いである。私は彼の一言に、彼の人間としての成長を確認し、安心して寄贈の決心をかためた。

故郷萩に美術館を

このような思考をくりかえしていた平成三年（一九九一）後半、たまたま銀座の私の事務所を訪ねてきたテレビ山口の中村浩美常務に私の考えを話したのが、この寄贈問題の発端である。

私はその時、

私のコレクションは、死にもの狂いに集めた結果、少々名が知られるようになったが、所詮は個人コレクションであり限界がある。これを「核」とし、恒久的に新規購入を続けてコレクションの充実を図り、世界的な規模になしうるところ、そして、この美術館をつくるきっかけになった「浦上」の名前を入れてくれるところ、それは企業でも公共団体でもかまわない、それを受け入れてくれるところがあれば、すべてを寄付してもよいと考えている。

と話した。さらに、

その場所はできれば私の生まれ故郷である萩市が望ましい。東京につくっても訪れる人は少数の愛好者だけで、あの東京国立博物館や国立近代美術館さえも平常展の時は訪れる人も稀である。しかし、萩市は観光地で、年間通せば二〇〇万人近い人が訪れる。狭い街でもあるので、その半数位は美術館に立ち寄るに違いない。そして、いままで美術に関心のなかった人々の中から、たとえ一割でも美術に目覚めてもらえれば大変うれしい。

といったことも述べた。

中村氏は、山口に帰ってから山口県立美術館に話したらしく、早速河野良輔館長が上京し、「ぜひとも県の方に寄付してもらいたい。その場合、あなたを館長に推薦してもよい。自分は美術館長をただちに辞めてもよい」という趣旨の話があった。その後の、平成三年末の同氏の書簡にも、県企画部長、副知事とも大変な乗り気で、今度のことの実現を念願している旨が記してあった。

平成四年（一九九二）一月、山口県立美術館の足立明男副館長と福田義人総務課長の両氏が来訪し、寄贈についての条件等の打ち合わせをした。設置場所は萩市、名称は「山口県立浦上記念館」（市立の場合は「萩市立浦上記念館」）とすること。この名称は、寄贈に理解を示してくれた家族へのせめてもの心遣いであり、また長男が私ほどの年齢になった時、コレクションがあればあるいは寄贈するかもしれないという期待もあった。

また規模は、独立した相当規模の建物とし、次の各室を設けること。中国陶磁室、朝鮮陶磁室、萩焼室（古萩、伝統、現代のすべてを対象とし、陶芸制作コーナーを設ける）、浮世絵室。さらに陶芸二名、浮世絵二名の管理運営の専門職を配置し、作品の管理および調査研究にあたること。館蔵品の充実については、毎年度、作品購入予算を計上し、足りない部分を補充して充実を図り、公共性を強化すること（今後さらに、作品の充実を図れば、浮世絵、古陶磁についてはわが国を代表する特色ある美術館となる）。

以上のような私の提示した構想・規模での条件受け入れがむずかしいなら、開館までには四、五年かかるだろうから、早目にその旨回答願いたい、ということで合意した。

後日の河野館長からの書簡において「知事さんにおかれましても感謝感激の他なく、直ちに御高志の趣に副《そ》い奉るべく決断されました」とあり、具体化に向け進みはじめたように思われた。

葛藤、そして……

いろいろな周囲の気配に妻がようやく怪しんできた。私は妻の説得が最大の難関とかねがね思っていたので、なかなか打ち明けにくく思い悩んでいたが、意を決して事の次第を報告した。案の定、驚き呆れ、そして猛烈に反対した。

無理もない。コレクターは貪欲である。地獄には餓鬼地獄というところがあり、いくら食べても腹が減るという大変苦しい地獄だそうだが、それと同様にコレクターも集めても集めても、また次が欲しくなる。必然的に金がなくなり、借金がふえる。妻からはつねづね家が古くなったから建てかえてくれ、せめて便所だけでも綺麗にしてくれといわれていても、壺一つ売れば簡単にできることが、惜しくて売れない。したがって、今日まで何一つ希望を叶えてやれなかった。それほどに売ることさえ惜しいものを、なぜ根こそぎ寄付をするのかという問題にたち返る。

私自身の心の葛藤もあった。あるコレクターの宅を訪れた時、その家の娘さんが「お父さん、浦上さんのように気がふれて寄付するなんて決していわないでください。私は絶対承知しませんよ」と険しい顔で父親にいった。コレクターにとっては命の次に大切な、人によっては命以上に大切な思い入れのあるコレクションをすべて寄付するという行為は許されないことであり、頭がどうかしたとしか考えようがないのであろう。コレクター仲間に会うたびに、みな気の毒そうな顔をして私を敬遠する。

悟りというものはなかなかむずかしい。昨日は無私無欲の心であっても、今日はまた普通凡人の心に戻る。あれほど熟慮を重ねて決断したのに、とりかえしのつかないことをしてしまったという後悔の念が何度も起こった。この揺れ動く心を鎮めるため、私はコレクションの寄贈のことをつとめて多くの人に話し、違約のできないよう、自分自身を身動きのできない状況に追い込んでいった。

世間の反応

平成四年二月四日、突然NHK山口より電話があり、「山口県が今度、県立萩美術館建設の調査費二〇〇〇万円を計上するというニュースを入手した。これはスクープであるので早目にテレビに撮らせてほしい」との申し入れがあったが、「とんでもない、大げさなことはしたくない」と断わった。五日に再び電話があって、八日に上京、撮影したいとの申し入れに対しても、もちろん拒否した。八日は、念のため一日中所在を不明にしたが何の連絡もなく、一件はそのまま立ち消えと安心したが、十日に突然銀座の私の事務所にあらわれ、「十四日に知事の代理として河野館長が寄贈受領の挨拶に来られるので、その光景を撮影したい。県の了解は既に得ている」とのことであった。結局、十四日、今度の寄贈をすべて提示された条件通りありがたく受け入れたいとの平井龍知事の謝意が河野館長より伝えられ、その様子をテレビが撮影した。その模様は、当日NHKテレビで全国に流された。

翌十五日は、早朝より各新聞社の取材電話がひきもきらず、十六日の各紙朝刊には大きく掲載され、「山口県立美術館・浦上記念館」として建設されると報じた。

その翌日より、私の家に寄付を強要する人が何人も訪れ、また全国から寄付の申し込み、脅迫、美術品の鑑定依頼、また自分はこういう立派な陶磁を持っているが、これは当然この美術館が買うべきだという押売りなど、電話が鳴りっぱなしとなった。さらに、子どもが大学に合格したが、入学金を支払うことができないので五〇〇万円喜捨せよとか、いろいろな手紙が舞い込んできた。また、各週刊誌、美術誌等の興味本位の特集取材の申し込みを断わるのにずいぶんと苦労をした。このような連日の喧噪にさらされ、しばらくの間、何か罪人のような惨めな気持ちに落ち込んだ。

ただし、人間は自分の心でしか、他人の心をはかれないという人間の心の本質があらわとなって、大変感ずるところもあった。ある旧知の大会社の社長は、そんなもったいないことをするのなら、記念のため一点位くれないかといってきた。また、どうせそんないいものを寄贈しても、わかる人はいないのだから、あの作品を自分に安く譲ってくれと申し入れてきたコレクター。美術館からは、希望通りの価格で購入するから売って欲しい、作品は「浦上コレクション」として展示するから、名前は残って寄贈と同じ効果ではないか、たとえば神奈川県立歴史博物館の「丹波コレクション」、島根県立博物館の「新庄コレクション」のようにすべて金銭で取引しても名前は残っている、何も寄贈することはないとか、相続税対策だろう、あるいは名誉心からだろうとか、さまざまな声が聞こえてきた。

しかし反対に、全国より、そして外国からも寄せられた励ましの言葉や共感の手紙等、素直に喜んでくれる多くの人たちに力づけられたのである。旧知のアメリカの世界的画家ジャスパー・ジョーンズやジェニファー・バートレット、彫刻家のジョエル・シャピロ等から届いた喜びのメッセージによって、外国ではこのような寄贈に対する理解が深いことも知った。こうした寄贈に対する受けとめ方もいろいろで、その真意を正確に理解してもらうことのむずかしさを味わったのである。

「浦上記念館」設立へ

そのあわただしさもしばらくのことで、その間、いまある県立美術館の隣接地に別館として建設してはどうかという交渉もあったが、契約の合意のように萩以外には考えられないと返事をしているうちに、知事の決断によって建設地を萩にすることに決まった。

この発表のすぐ後、萩市長の小池春光氏が上京し、「萩市は貧乏で予算がないので、好意を受け入れることができず挨拶にもこられなかったが、県が金を出すことが決定し、安心しておうかがいすることができた。これからできるかぎりの協力をしたい」と喜びを一杯にあらわし、それ以後、氏の突然の逝去まで、精一杯の協力をしてもらった。また、萩中学校時代の同級生たちも熱心に応援してくれ、そうした中で、萩市長のたっての要望で、十一月二十九日、市民会館大ホールで行なった私の講演会には一〇〇〇人近い聴衆が訪れ、萩市の盛り上がりも最高となった。

そのうち県より、名称は「山口県立萩美術館・浦上記念館」とし、私を名誉館長とするという正式の申し入れもあり、話は順調にすすんでいった。

四月二十日より「大北斎展」が山口県立美術館で開催され、空前の入場者を記録し、その数は十三万人をこえた。知事も私の寄贈が浮世絵が主体であるので、この展覧会に興味を示し、知事室に私を招き懇談した。この時が寄贈の一件が起きてから、知事に会う最初であった。

知事は、私の寄贈する品の中で最大の名品である北斎の「風流無くて七くせ　遠眼鏡」が、目下世界に三点しかないという解説を見て、私に「これは三枚しか摺らなかったのですか」と質問した。私は「摺った当初は一パイといって二〇〇枚単位で作製するのが普通ですが、時の経過とともに失われ、現在所在の判明しているのが三枚だけという意味で、将来いつどこで新たな発見があるかわからないところに興味があります」と返事した。また、知事の「浦上先生は美術館建設の設計者に何か注文がおありですか」という問いに、私は「いったん県に寄贈した以上、県が最良と思われる方法をとっていただくことに何ら異議はありません」と返事をしたが、知事は心底、この寄贈を喜んでいる印象を受け、心が和《なご》んだ。

平成五年（一九九三）五月二十日、県庁において「浦上コレクション寄贈式並びに贈与契約調印式」が行なわれ、私は寄贈の挨拶として、

私は、永年心血を注いで収集した浮世絵や中国陶磁、朝鮮陶磁など美術品のすべてを公共の場に寄贈し、公共の力で公開してもらえれば、少しは世間の人々に文化的貢献ができ、また、ふるさとの活性化のお役にも立てるのではないかと考え、山口県に寄贈することを決意しました。

この決意に至るまでには、多くの迷いもありましたが、子どもたちの同意、そして当初から反対し続けてきた妻もやっと理解を示してくれ、私のわがままを許してくれた家族に感謝をしています。……

今後、これを基礎にして、県において、作品の充実を図っていただければ、この美術館は、世界中にその名が知られるものになると信じております。私も、命ある限り余力をふりしぼって寄贈を続けていく覚悟であります。……

などと述べた。

そして、知事が謝辞とともに、この「山口県立萩美術館・浦上記念館」は平成五年度中に基

山口県庁での贈呈式。右は平井知事

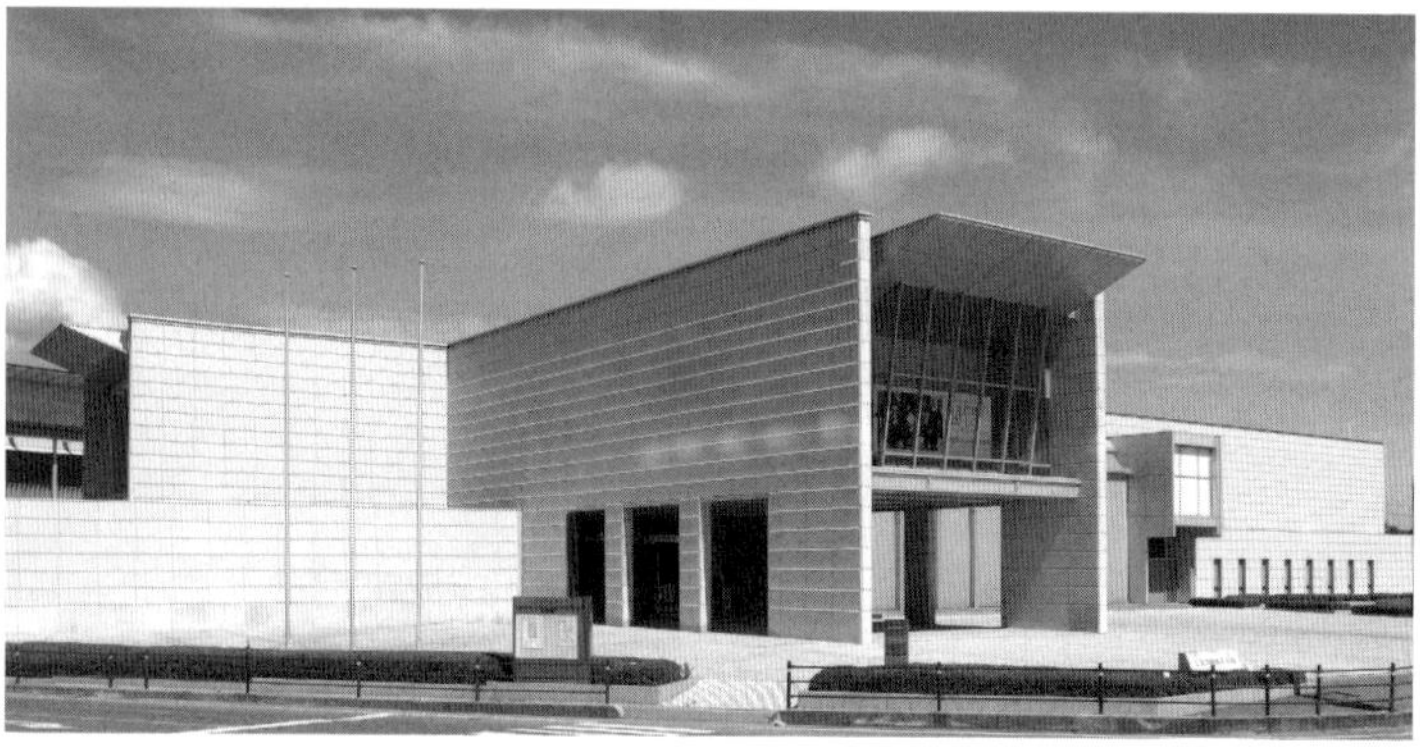

山口県立萩美術館・浦上記念館
設計＝丹下健三・都市・建築設計研究所。平成8年10月14日開館

チコチンコレクションのコンディションチェックをする筆者

本設計を行ない、平成八年度には開館したいと考えている旨を語った。

各新聞やテレビは、この模様を一斉に大きく報道し、後は記念館の完成・開館を待つのみとなった。いろいろと経緯はあったが、これで趣旨が達成されて一段落し、開館まで生きながらえることが一つの目標となった。

平成五年七月十二日夜、テレビが番組を中断して北海道その他の地方への津波警報をくりかえし伝えた。このような報道があるたびごとに、それまで死の予感さえなかった人々がまた何人か命を落とすことになるのではないか、どうか無事であってほしいという願いはいつも確実に裏切られる。この北海道南西沖地震ばかりではない。九州の雲仙普賢岳の噴火、台風、そして昨年のまだ記憶に生々しい阪神・淡路大震災などの天災や事故は、営々と年月をかけて築いてきた生活の基礎すべてを一瞬にして奪う。家、財産、そして生命までも……。

このようにすべてをなくしてしまう人々にくらべれば、物が残ってこれを寄贈することができ、少しでも人々の役に立つことができるわが身を幸せに思い、この胸のうちを妻に語ったところ、妻もこれに心から同感した。これまで強く反対し続けた妻も、やっと心底から理解してくれたことを知り、安堵の思いであった。

カバー作品
唐　藍三彩宝相華文大盤（表１）
喜多川歌麿「煙草を吸う女」大判錦絵（表４）

表紙作品
六朝　加彩文官立俑（表１）
歌川広重「甲陽猿橋之図」大判錦絵掛物絵

本文写真提供
岐阜県現代陶芸美術館
熊本県立美術館
山口県立萩美術館・浦上記念館
萩写真データベース

カバー・表紙写真提供
山口県立萩美術館・浦上記念館

そのほかの作品画像、作品名については初刊本から転載。

※本書は一九九六年に平凡社から刊行された『或る美術コレクターの生活』を改題し、一部修正した新装版です。

＊今日の状況に照らし合わせ不適切と取られるような表現がありますが、執筆当時の状況を鑑み、原文のままといたしました。

編集　桜井美貴子（株式会社エイブル）
編集協力　浦上蒼穹堂
　山口県立萩美術館・浦上記念館・学芸課
装丁・本文デザイン　水上英子

浦上敏朗（うらがみ・としろう）

1926年（大正15年）山口県萩市生まれ。県立萩中学校を経て、山口経済専門学校（現・山口大学経済学部）卒。この間、陸軍船舶兵暁部隊（特攻隊）に入隊。

清久鉱業社長、日本非鉄鉱業社長を経て清久鉱業管財人、またジャパンアートコンサルタンツ社長を歴任。

日本浮世絵商協同組合理事長、日本浮世絵協会（現・国際浮世絵学会）常任理事、東洋陶磁学会監事などを務め、山口県立美術館美術品収集審査会委員のほか、多くの美術館の審査委員となる。

1991年、第10回内山晋米寿記念浮世絵奨励賞受賞。1994年、紺綬褒章受賞、萩市名誉市民称号受贈。1996年、山口県立萩美術館・浦上記念館名誉館長に就任。

2020年、逝去。

執念と欲望と。或る美術蒐集家の追憶

2024年2月18日　初版印刷
2024年2月28日　初版発行

著　者　浦上敏朗

発行者　小野寺優
発行所　株式会社河出書房新社
〒151-0051　東京都渋谷区千駄ヶ谷2-32-2
電話 03-3404-1201（営業）　03-3404-8611（編集）
https://www.kawade.co.jp/

印刷　精文堂印刷株式会社
製本　加藤製本株式会社

Printed in Japan
ISBN978-4-309-25743-3